# 亡国の危機

櫻井よしこ

新潮社

# はじめに

日本に神風が吹いている。強烈な追い風である。しっかり立ち上がれ。まともな国になれ。アジア諸国も同盟国の米国も欧州諸国も、日本に期待している。日本の日本たるゆえんに心を向けよ。穏やかながら雄々しい日本の国柄を取り戻せ。憲法を改正して、戦後日本の垢を振り落とせ。

本書の、一行一行を書きながら、今がそのときだ、この機を逃すな、と心の中で呟いている。そして思う。わが国はいま戦後最大の危機の中にある。けれど、これは今まで日本が体験したことのない好機でもあるのだと。危機の深いことを、今はむしろ喜ぶのがよい。私たちはその分、より大きく逆転できるからだ。私たちには逆転する資格と力がある。そのことに気づきさえすればよいのだ。

問題は、気づけるか、である。そこで読者諸氏と対話する気持ちで、現実に沿って、日本国を取り巻く状況を理解し、一体今、何をすべきなのか、その解を自らの胸深くに刻みこむところまで行ってみたい。

日本は単独では中国の脅威から日本国と日本国民を守ることはできない。これは国民1億2500万余のあらかた全員が共有する事実であろう。他方、自力で守れなくとも、日米安全保障条約があり米国がいてくれれば大丈夫だと、戦後76年間、日本人は信じてきた。信じながらも、どこか危ういとも認識してきた。

現実の厳しさにほとんど目をつぶり、根拠のない楽観論に浸ってその日暮らしをしてきた戦後日本だが、目の前で頼みの綱の米国がアフガニスタンから撤退した。世界最強の国が20年間戦って敗北した。正に歴史的出来事である。米中間で決して相容れない価値観の戦いが展開される中、国際社会の力のバランスが崩れ始めたのである。この潮流の変化の中で、日本はどうするのか、このままでよいのかという疑問が突きつけられている。日本国民と日本国をどのようにして守りきるのかという、絶体絶命の問いでもある。

ふりかえれば、日本は国家としていつも、問題を微調整してやり過ごしてきた。事案の本質に目を背けて最小限の対応でごまかしてきた。しかし今起きているのは、従来のチマチマした対応では済まない大事態である。

唯一の超大国であることを誇ってきた米国がアフガニスタンでの敗北を受け入れた。なぜ、敗北したのか。この体験から何を学ぶのか。米国の対外政策はどう変わるのか。たったひとつの同盟国の、これから予想される変化を深く読みとって対応することが、日本の浮沈を決めるだろう。

2001年9月11日、世界貿易センタービルを破壊した対米同時多発テロで、日本人24人を含む2977人が犠牲になった。ブッシュ(息子)大統領はテロとの戦争を宣言し、アルカイダ殲滅のために、アフガニスタン攻撃に踏み切った。以来米国は20年間戦った。

その間、オバマ大統領もトランプ大統領もアフガンからの撤退を模索し、21年4月14日、バイデン大統領がトランプ氏の路線を引き継いで撤退すると正式に宣言した。

バイデン演説の要点は三つである。①アフガン戦争にはブッシュ、オバマ、トランプそして自身の四人の大統領が関わってきた。自分は次の大統領にアフガン駐留米軍の統括者としての責任は引き継がない、②米国はアフガンに外交上関わっていくが、外交には軍事力の支えが必要だとの見方はとらない、③米国は中国の厳しい挑戦に対応するために力を結集し、同盟を強化する。専制独裁国に人類の未来を左右するサイバーや新技術の分野で独善的ルールを作らせない。

この4・14演説は、オバマ政権のPivot to Asia（アジアに軸足を移す）戦略に通底する。米国の力を中東からアジアに移す、即ち中国の脅威に焦点を合わせて態勢を作り直すというものだ。オバマ氏の戦略は言葉だけに終わったが、バイデン大統領の4・14演説はまさに同じ考え方から生まれている。

バイデン大統領はこうも述べた。

「（副大統領として）ホワイトハウス入り（09年1月20日）する前、オバマ氏の要請でアフガニスタンを訪ねた。パキスタンとの国境沿いの険しい山岳地帯、クナール渓谷で、アフガンの地を治めるのはアフガン人政権の権利であり責任だと実感した。終わりなき米軍派遣で長期的に安定的なアフガン政権を作ることはできない」

4・14演説から約4か月後の8月16日、タリバンがアフガン全土を制圧した時点で、バイデン氏はこう述べた。

「我々はアフガンで国家建設（nation building）をしようと考えたわけではない」

ほとんど戦うこともなく敗走したアフガン軍と、米国撤退で観念して逃亡したアフガニスタン政府のガニ大統領に関連して、こうも語った。

「アフガン軍が祖国のために戦おうとしない戦争で、米軍が命をかけて戦うようなことは続けるべきでない」

米国の世論調査では国民の77％がバイデン氏のアフガン撤退を支持している。日本が汲みとるべき教訓は明確である。わが国はこれまでの三四半世紀同様、これからも米国に頼りきりであってはならないということだ。一日も早く、自国防衛に必要十分な強い力を構築して、自力で自国民と国土を守る国になれということだ。

日本にとっては戦略的に欠かせないのが尖閣諸島だというのに、その守りに対してわが国は恥ずかしい程消極的だ。約10年間も中国の公船の侵入を許し続けた結果、今では尖閣諸島は中国領だという態度で、中国海警局所属の公船がほぼ毎日わが国の接続水域に迫り、領海に侵入し、日本の漁船を追い回し、海上保安庁に「中国の海から退去せよ」と要求する。

20年2月1日の改正海警法施行で、海保の船や日本漁船が追い回されるだけでなく、拘束されたり攻撃される事態が発生しかねない。にも拘わらず、わが国政府は何年も全く変わらない官僚的表現で「遺憾の意」を表明するだけだ。尖閣防護の具体的行動を一切とってこなかった結果、中国得意のサラミ戦術でジリジリと追い詰められている。自国領土であるにも拘わらず安易に日米安保条約第5条の適用に望みをかける日本は、米駐留軍の永続的駐留を望んで崩壊したアフガン政府の悲劇を他人事と見てはならない。

自国民の命、自国領土は自力で守れと、当然のことをバイデン氏は言っている。民主党も共和党も全く同じだ。

アフガンからの撤退を正式に表明したのは共和党のトランプ大統領だった。氏は、米軍が外国のために戦うことに非常に強い反発を抱いている。読者諸氏は覚えておられるだろうか。19年6月、大阪で開催された20か国・地域首脳会合の前後3度にわたって、トランプ氏が日米安保条約の不公平性に強い不満を表明したことを。

来日直前、トランプ氏はフォックステレビの番組で、有事の際米国は日本を守るが、日本は米国を守らずに、米国が戦うのをソニーのテレビで眺めるにすぎない、日米安保条約はフェアではなく、破棄も考えていると語った。現役大統領が日米安保条約破棄の可能性を公の場で表明したのは初めてだろう。

但し「破棄発言」はその直後に来日したトランプ氏自身が否定した。余りにも深刻な影響を生むかもしれないとの懸念ゆえに、否定したのであろう。私はしかし、発言は氏の本音を表していたと考えている。バイデン氏は共和党でもトランプ氏でもないが、同じ米国の大統領である。バイデン氏のアフガン切り捨ては日本には関係がないと考えてはならないことは繰り返し強調しておきたい。

バイデン氏は、アフガン切り捨てで米国の同盟国などが不安を抱いていると質問されて、アフガンと台湾、韓国や日本は違うと反論した。

どのように違うのかを米国に尋ねても仕方がない。日本自身の決意と努力で、米国も無視できず、むしろ米国の方が必要とする日本の価値を確立する方が断然よい。この局面で日本はどうするのか。何ができるのか。戦後70年以上、日本にできることに背を向けてきた後ろ向きの発想をやめることだ。そうすることで状況は大転換する。目の前の戦後最大の危機を、戦後最大のチャンスに転換できる大逆転の土台はすでに整っているのだ。これが神風であり、強い追い風の正体だ。

アメリカは率直に語っている。アメリカ一国では中国の脅威に立ち向かえない、米国と共に対中牽制の構えを構築してほしい、と。アメリカと共に世界情勢の流れを作るに十分な力を有する日本と欧州諸国に、バイデン政権は繰り返し、呼びかけている。中国に対峙しようとする米国にとって、日本は欧州諸国よりも尚、力強い存在である。対中抑止力の構築において、地政学上、日本国の意思と行動が非常に重要な意味を持つからである。米国が対中国でより強力な態勢を整えることはわが国の国益そのものだ。その戦略の中で日本が主要な役割を果たせる局面が生まれてきた。その好機を活かすためには、わが国の政治家たちの目覚めがなければならない。

しかし、8月31日を期限とするアフガニスタンからの米軍撤退を前に、わが国がとった行動を見れば、愕然とするしかない。政治家も外交官も日本に与えられている好機、それを活用する意識に決定的に欠けていた。

日本はまたもや大失敗したのである。8月15日、アフガニスタンの首都カブールがタリバンの手に落ち、各国政府は自国の外交官やビジネスマン、現地在住の国民だけでなく、さまざまな形で協力してくれたアフガン人スタッフの救出に全力を挙げた。その中で日本に協力したアフガン人を、わが国は救出できなかった。事実上、ゼロ救出に終わった。

ちなみに、岡田隆駐アフガン大使は当時、休養のため日本に戻っていた。アフガニスタンのような環境の厳しい国での勤務は、2か月間現地に滞在したあと、日本で休養してよいルールになっている。

平時の勤務体制ならそれでよい。しかし、バイデン大統領が8月末までに完全に撤退すると表明しているのである。何か起きてもおかしくない緊迫した情勢は平時ではない。完全に有事の態勢である。にも拘わらず、外務省はこの有事に平時のルールを適用していた。外交の最前線に立つ外交官がこれで責任を果たせるわけはない。

8月15日、カブールがタリバンの手に落ち、危機が迫ったとき、日本大使館員は米軍保護の下、カブール空港に逃れた。空港では米軍をはじめ各国の軍用機が慌ただしく離着陸を繰り返し、関係者らを輸送していた。その中で日本大使館員ら全員が17日、英国の軍用機でカブールを去った。アフガンには日本の外交官はいなくなり、情報収集もできなくなった。

外務省は、アフガン在住の邦人10人余りはパキスタンで調達した民間のチャーター機による退避が終わっており、大使館員が邦人を置いて逃げたとの非難は当たらないと抗弁する。しかし、日本に協力してくれた通訳や情報提供者を残してきたことに変わりはない。米国は12万3000余人、独は5000余人、わが国の大使館員12人を脱出させてくれた英国は、大使自らがカブール空港に残り、1万5000人以上の自国民とアフガン人を救出した。わが国はなぜ失敗したのか。

先述のようにバイデン米大統領が、4・14の演説をした後、タリバンは攻撃を強めた。7月8日、バイデン氏が8月末までの米軍完全撤退を発表すると、アフガン情勢はさらに風雲急を告げた。遅くともその時点で日本政府は邦人らの救出に民間機を利用するという平時の発想を捨て去るべきだっただろう。

だが、外務省が自衛隊機の利用可能性について防衛省に内々に打診したのは8月14日夜だった。防衛省は快諾した。

翌日、米国の予想よりはるかに早くカブールが陥落した。そのとき日本政府は信じ難い判断に走った。まともな政府なら、14日夜の打診に基づいて自衛隊機投入を迷わず決断していただろう。

有事において、邦人や現地人の輸送を民間機に頼るのは無理である。しかし、外務省は自衛隊機投入の検討中止を防衛省に申し入れたのである。

事が全て終わったあとで、外務省担当者は、カブール陥落時点でもまだ、省内で民間機利用を軸に脱出戦略を考えていたことを反省していると語った。日本外務省は猛省すべきではあるが、真に反省すべきは菅義偉首相をはじめとする政治家である。

この緊急時に自衛隊以外、危険な任務を担える組織はない。そのことは湾岸戦争の教訓からも明らかだが、日本政府は時間を浪費した。遂に諦めて外務省が防衛省に「自衛隊機投入の検討加速」を再び呼びかけたのは、5日後の20日だった。政府が国家安全保障会議を開いたのはさらに3日後の23日、カブール陥落から8日がすぎていた。ようやくわが国は自衛隊機派遣を決定したが、菅首相、茂木敏充外相の動きはなぜこんなに遅いのか。国家安全保障局の動きはなぜこんなに鈍いのか。危機に直面したわが国に欠けていたのは軍を動かす司令塔である。その司令塔を支える法体系と関係閣僚の心構えである。

私の師であり畏友である田久保忠衛氏はわが国の政軍関係に関する理解と知識の欠如に警告を発し続けてきた。戦前の事例で言えば、軍の政策・戦略を決定する統帥部があり、軍を実際に動かす軍令部があった。

敗戦でわが国はこれらの一切の機能と思想を剝ぎ取られた。現在私たちの前に並べられているのは、憲法9条に縛られた自衛隊法である。その中で自衛隊は安全が確保されている地域にしか行けないことになっている。

外務省が自衛隊機派遣を逡巡し続けた理由はここにある。しかし、どれ程考えてもアメリカ敗北という歴史的危機の現場のその真っ只中に、邦人救出、アフガン人救出の使命を帯びて行くのは自衛隊しかあり得ない。

国家安全保障会議での決定を受け、岸信夫防衛相が命令を発出した。自衛隊機は下令から6時間後の24日未明に出発した。この種の準備には通常48時間が必要だとされている。それをわずか6時間で出発できたのは、散々迷走した司令塔に較べて、現場を預かる岸防衛相以下自衛隊が万が一に備えて黙々と準備をしていたからである。司令塔としての官邸も国家安全保障局も頼りないが、自衛隊はしっかりしていたということだ。

自衛隊機C―2、次いでC―130Hが飛び立ち、パキスタンの首都、イスラマバードに到着したのが25日、そこからカブールに到着したのが26日だった。その日不幸なことに、空港近くで大規模自爆テロが発生し、米兵13人とアフガン人90人以上が犠牲となった。ようやくバスの準備が整い、約500人といわれる日本関係者らを乗せる手はずが整ったとき、自爆テロが起きたわけだ。自衛隊機は待機していたが、乗せるべき人々は空港に来ることもできなかった。日本の退避オペレーションはそこで終わった。自衛隊機が邦人1人、アフガニスタン人の夫を持つジャーナリストの安井浩美さんと米国から頼まれたアフガン人14人を乗せてカブールを脱出したのは周知のとおりだ。

韓国は自衛隊機が日本を出発した8月24日までに国防省、空軍の精鋭66名からなる特殊任務団を緊急構成し、カブールに送り込んでいた。彼らは365名のアフガニスタン人をカブール空港に運び、自衛隊機が到着する前の25日にはカブールを飛び立った。自衛隊機がカブールに到着した26日には、全員を仁川空港に運び任務完了を発表した。

外務省は日韓の違いはたった1日だった、と説明する。問題はそこではない。再度強調するが、ここには国家の在り方に関する本質的な問題が横たわっている。１９９１年の湾岸戦争の時、わが国で交わされた愚かな議論を想い出すのがよいだろう。

イラクのサダム・フセイン大統領が隣国クウェートを武力侵攻し、日本を含む複数の国の国民が人質となった。ブッシュ大統領（父）の大号令で有志連合が結成され、イラク攻撃に踏み切った。その湾岸戦争で人的貢献を求められた日本はまず、民間人の派遣を考えた。だが、物資の輸送を頼まれた民間海運会社の船員組合は猛反対した。メディアも同様だ。次に民間人と自衛官を共に派遣する案が出たが、周知の憲法9条ゆえに、「自衛官は安全地域に、民間人は危険地域に」というアベコベの話になった。次に、青年海外協力隊のような組織を編成して派遣する案が出たが、とても間に合わない。これら以外にも幾つか提案されたが全て役に立たず、結局１３０億ドル、１兆７０００億円の現金で済ませた。膨大な額だったが、私たちは当事国のクウェートからさえ感謝されなかった。

こうした恥ずかしい行動に日本国を追いやる元凶が現行憲法である。

日本の輸入する石油の96%がホルムズ海峡でタンカーに積まれ、インド洋から南シナ海の南端マラッカ海峡を経て日本に運ばれる。湾岸戦争で石油の供給が断たれたら、日本国民の暮らしも、鉄道や電力などのインフラも、産業も危うくなる。湾岸戦争を早期におさめ早急に秩序回復を実現することがわが国の国益だった。その危機にわが国は何ら貢献できず、カネで辻褄合わせをしようとした。しかし日本のカネ頼りの外交は国際社会で事実上、軽蔑の対象となった。

こんなことでよいのか。よいはずはない。斯くして憲法改正の議論が提起されたが、その行く手を遮ったのが自民党内のリベラル勢力であり、外務省だった。

湾岸戦争当時、外務事務次官を務めた小和田恆《ひさし》氏は「ハンディキャップ国家論」を展開した。国際社会の紛争に対して、わが国はハンディキャップをもらっている商人国家のような存在だから、他国の2倍3倍のカネで貢献すればよいという主張だ。まともな民主主義国が世界の秩序を守るための当然の責務として果たす国際社会への軍事貢献を免れようとするだけでなく、自国民の救出、大使館員の保護まで基本的にカネで他国に頼るという考え方だ。カネによる外交・安保政策は本来の日本の国柄からも、誇りや気概からも程遠い。しかし、それでもよいとする卑しい考え方がハンディキャップ国家論である。

外務省の現役官僚諸氏は言う。小和田氏らの考え方は、今は全く、外務省にはない。小和田氏らの考え方はむしろ強く忌避されている、と。大変結構なことで私は大いに力づけられた。しかし、わが国の政治はまだ、右の忌避された体質の中に、半分程足を入れたままではないのか。だからこそ問わねばならない。中国に侵略をかけられるとき、日本はどうするのか、と。バイデン大統領はアフガン問題で「自国のために戦わない軍隊やいち早く逃げ出す大統領に代わって、なぜ、米国が戦わなければならないのか」と述べた。早急にわが国にべったりとまつわりついているハンディキャップ国家の衣を脱ぎ去り、まともな民主主義国として、自立を目指さなければ、バイデン氏の言葉はまっすぐ日本に向かってくるだろう。

米国のアフガン切り捨ては恨むようなことではない。国際政治の冷徹な現実である。それでも米国頼みの国々は衝撃を受け、米国との絆を信じてよいのかと疑問を持ち始めている。国際政治においては、たしかに米国の撤退は身勝手のそしりを免れない。より良い方法があったはずだとの批判は世界中に満ちている。パックスアメリカーナの時代は終わったとの批判も少なくない。しかし、これが国際政治の真の姿だということは忘れないでいよう。

国際政治のもうひとつの側面を見るという意味で興味深い見解を聞いた。別の角度から見ると、アフガン撤退は米軍の力の測りしれない強さの証明になったというのだ。米軍は極限状況下で12万3000人余りを救出してみせた。カブール陥落により、首都も空港も大混乱の渦に放り込まれた中で、米軍は恐らく3桁の数の輸送機を集結させ、カブール空港から人々を乗せてピストン輸送した。その合間に、同盟国の英仏独蘭伊や韓国、インドネシアなどアジア諸国の輸送機の離着陸も入れ込んだ。究極の危険なオペレーションを約2週間、事故も起こさず続けて12万3000人強を国外に運んだその統合能力、多くの輸送機をテンポよく次々に離陸させ、素早く次の輸送機を着陸させるという離れ技は、中国を含む他国には到底真似できないというのだ。

数多の戦争を経験して今日に至る米軍の、装備における優秀さだけでなく、オペレーション能力、実戦における練度の高さが証明されたという軍事専門家の指摘は、米国の強さの証明として忘れてはならない。

中国は必死でその米国に追いつこうとしている。他方米国は今、最重要の課題は日本との安全保障上の協力強化だと考えている。4・14のバイデン氏の演説に戻ってみよう。氏がアフガニスタンから撤退し、中国に対してアメリカの力を結集し、同盟国との協力を強化すると語ったことは、すでに触れた。その2日後、バイデン氏がコロナ禍の中で初めて対面での首脳会談を行ったのが菅義偉首相だった。米国の日本重視、とりわけ対中抑止力の構築を日本と共に進めたいとの期待が込められた首脳会談だったのだ。

本書の「日米首脳会談、総理に託された期待」285頁でも触れているが、菅首相は「日本の防衛力の強化」を約束し、「米国と共に抑止力と対処力を強化する」「日米同盟を更なる高みに引き上げる」と語った。バイデン大統領と共に中国を名指しで批判し、台湾海峡の平和と安定を重視すると表明した。

重要なことは、バイデン大統領が20年の長きにわたったアフガン戦争に終止符を打ち、対中抑止力構築という最重要課題にこれから取り組むのだと語り、その戦略に日本は同盟国として積極的に参加してほしいと求めたことだ。

米国が中国と正面から向き合い、強固な軍事的構えを構築するのは日本にとっての国益である。その意味で菅首相の米国における発言はおよそすべて国益に適っていた。正しかった。あとは首相が世界に発した誓約の実行である。

先に米国の軍事オペレーションの傑出振りに触れたが、米国の軍事戦略の柔軟性にも目を見張るものがある。元陸上幕僚長の岩田清文氏は、トランプ政権が中国の海洋進出に対抗して打ち出した海洋圧迫戦略の刮目すべき点について語る。それは第一列島線の内側に海兵隊と陸軍が対艦対空ミサイルなどで守備線を引き、第一列島線の外側で海軍が中国海軍の出口となる海峡を封鎖し、海空軍が遠い外側から中国海軍を攻撃して押し返すという戦略である。

第一列島線は日本列島、沖縄、南西諸島から台湾、フィリピンを結ぶ線で、中国はこの線を守ることによってその西側、つまり中国側の海に米軍を入れないことを目指しており、中国の海洋支配、拡大戦略の基本となっている。その中国に対抗し反撃する海洋圧迫戦略で米軍の戦略変更を最も劇的に体現しているのが海兵隊である。彼らは2020年に「戦力デザイン2030」を発表した。湾岸戦争で砂漠の嵐作戦を陸軍と共に戦った海兵隊がいま、陸から離れて海に戻ろうとしている。中国の脅威に対して彼らは50名から100名の小規模部隊に分かれて、第一列島線を構成する南西諸島などの島々に散らばる戦略である。無人航空機を目の代わりとして中国軍の動きをいち早く察知し、攻撃にはミサイルなどを槍として使うと、岩田氏は解説する。1箇所にとどまる時間は原則48時間以内。素早く攻撃して素早く移動する。中国軍に捕捉される可能性は低くなる。機動性の高い部隊に変身するために、海兵隊は保有していた戦車400輛すべてを陸軍に移すことになった。その代わりに無人航空機を倍増し、ミサイルを保有するロケット中隊を3倍に増やすという。

状況の変化に即対応する。これが米軍の強みだ。新しい情報や新しい動きに謙虚かつ真面目に向き合う。日本が中国の変化を見ても事実として受け入れることなく、機を逸するのとは大きな違いである。

人類は習近平式の専制政治、共産主義体制に向かうのか、米国式の、多くの混乱と問題を内包しながらも基本的に開かれた自由と民主主義の体制を維持するのか、人類は二つの価値観の間で、互いに譲れない戦いに突入しているのである。

中国がアメリカのインド・太平洋における活動を牽制するには第一列島線と第二列島線を押さえることが欠かせない。中国が第一、第二列島線をとれば、日米安保条約も機能停止に追い込まれる。

私たちがここで明確に意識すべきことは第一列島線の島々はおよそ全て日本国の領土だということだ。わが国の島々を米国と共にわが国、台湾、延《ひ》いては南シナ海沿岸諸国の防衛のために積極的に活用することができるのだ。そうすべき時なのだ。米国がこれらの島々への中距離弾道ミサイルの展開を要請するとき、もしくは核を積んだ中距離弾道ミサイルの配備を要請するとき、わが国は受け入れるのが正解であろう。持たず、作らず、持ちこませずの非核三原則を、持たず、作らずの二原則に変えるときだ。中国は中距離ミサイル約2000基を日本と台湾に向けて配備していると言われる。核も化学兵器も積めるミサイルだ。このような中国に対して抑止力を保有することが国の防衛には欠かせない。

日本を狙うのは中国のミサイルだけではない。北朝鮮も同様だ。わが国を巡る安全保障環境はこれ程厳しい。平和を維持し、領土を守り、国民を守るためには現行憲法の「戦力の不保持」や現行憲法の精神から生まれた専守防衛は役に立たない。相手を牽制するのに十分な力、下手に手を出すと逆襲されると思わせるのに十分な軍事力こそ必要だ。

第一列島線の島々の多くが日本国の領土であるという地理的優位性を持つ日本は、その一点においてもアメリカの重要なパートナーであり得る。

加えて、日本には強い経済がある。優れた技術がある。小振りながら優秀な自衛隊が控えている。今はまだ、単独では中国の侵略を防ぐことは厳しいが、憲法を改正して、自衛隊が通常の国の軍隊と同じように活動できるようになれば、状況は必ず逆転する。緊密な日米同盟をさらに緊密に、さらに強化すれば、軍事において生じた不利な現状は大逆転できる。

わが国は真の自立によって、米国とより良い同盟関係を築けるだけでなく、より多くの他分野において実力を発揮し、アジア諸国のために、どの国よりも有意義な貢献ができるのだ。武漢から始まった新型コロナウイルスを例にとれば、わが国の実績は驚嘆すべきものだ。強制的措置を取れないにも拘わらず、感染者、死者の数は他国に較べて1桁、2桁少ない。足らざることは多々あるにしても、また亡くなった方々に心を致しつつ、それでもこんな国は他にないと思う。日本国の真髄、その比類なき価値に前向きの光を当てようではないか。何を恐れているのか、厚生行政に見られる奇妙な消極性を克服して、ワクチン開発や治療薬開発を果敢に進めることができれば、どれ程多くの国々、民族、人々を救うことができるか。中国などは、そんな日本の足下にも及ばないことだろう。

中国はアメリカの後退を好機と捉え、アフガニスタン、パキスタンとの連携を深め、その影響を中央アジアに及ぼそうとする。一帯一路戦略を推進し、中国からパキスタンを通ってグワダル港までつなぐ「中パ経済回廊」を利用して、経済的にパキスタンも中央アジアも、さらにアフガニスタンも搦め取ろうとするだろう。日米両国にとって重要なパートナーであるインドへの圧力を強めるのも間違いない。建国100年で世界にそびえ立つことを目論む中国の戦略は成功するだろうか。私は難しいと考える。習近平氏は自国民を厳しい監視下に置き、自身は第二の毛沢東を目指している。どれほど厳しい監視システムを築こうが、21世紀の今日、あらゆる不都合な情報を国民に知らせずに済むとは思えない。歴代の中国の王朝が下からの革命によって滅びてきたように、共産主義で専制独裁体制の中国が同じ運命を辿らない保証はない。少なくとも、誰も幸福にしない習近平式の体制が長続きするとは思えない。

日本がアメリカと共に第一列島線を守り、中国を牽制することは台湾や南シナ海沿岸諸国にとどまらず、インドを守り、インド・太平洋を世界の共通財として守り通すことにつながる。経済も医療も、人々への施策の在り方のすべてで日本らしさを基盤にして大前進するときなのである。

中国に対して、私たちは自信を持って価値観の戦いを展開するときなのである。米欧を含む私たちの側の価値観、とりわけ日本の価値観こそ人間を人間らしくしてくれる価値観だ。１４００年も前の聖徳太子以来、わが国は一人一人の人間を大事にしてきた。７世紀初頭から今日まで、人間に優しい文化と価値観を国家統治の基本に置いてきた。再度、心に刻もう。こんな国は他にない。明治初年に発布された五箇条の御誓文を皆で読み返そう。ここには古代から日本社会の基調を成してきた価値観が凝縮されている。民主主義などの近代的表現はないが、真髄は民主主義そのものだ。心優しく雄々しく生きよと励ましている。日本人としての誇りを基盤にせよと語りかけている。なぜならそれこそが一人一人の立派な国民が創る日本国であり、日本の国柄であるからだ。これからの世界の価値観を主導する資格が、日本にこそあると納得できるだろう。

深い歴史の中から日本人の叡智を吸収すれば、私たちは決して商人国家などではないことが納得できる。澄んだ精神と責任ある行動を重んじる武士の国だと納得できるだろう。穏やかな文明と雄々しさを私たちの心に呼び覚ませば、戦後レジームに埋もれきってきた日本国を変えることができるのである。そのような日本の変身をアメリカもヨーロッパもアジア諸国も望んでいる。新たな自画像を描き、世界の要請に応えて大逆転の道を歩んでいこう。すべて、私たちの心次第だ。

二〇二一年九月十七日

# 亡国の危機　目次

第2章　中国の暴走を止めるために



第3章　政治家は何をすべきか

## 第4章　真の独立国たれ

## 第5章　米中の動向から目を逸らすな



## 第6章　日本は大逆転できる

# 第1章　怖いのはウイルスだけではない

## 医薬品で世界を支配する中国

人間の精神の自由への敬意、個々人の発想の豊かさを大事にするいわゆる西側陣営とは相容れない、異形の価値観を掲げて中国共産党は猛進する。彼らが力をつけるに従い、世界情勢は目に見えて変わった。これまで人道目的に活用されてきた物資や技術のおよそすべてが、相手を凌駕し力で従わせる材料と見做され始めた。習近平国家主席の戦略は相手よりも強く、潤沢な立場に立ち、中国なしにはやっていけない状況を創り出すことによって、中国に依存させ、支配することだ。

国際社会は武漢ウイルスの襲来で文字どおり右往左往の真っ只中にある。だが中国だけはじっと目を凝らし、この混乱を如何に利用するか、世界を舞台にしたグランドチェスゲームを考えている。

彼らは武漢ウイルスへの初期対応を誤り、中国全土のみならず世界全体にウイルスを拡散させた張本人だ。その結果、２０２０年３月24日現在、世界の感染者は37万４９２１人、死者は１万６３８１人に上る。経済指標はどの国もどの業種も史上最大の下げ幅や落ち込みに苦しんでいる。中国は全世界に疫病をもたらした。もし、日本が感染源であるとしたら、日本政府も日本国民も、心からのお詫びを全世界に発信していたことだろう。だが中国は正反対だ。中国政府の代弁メディア、新華社は3月4日、社説で厚かましくもこのように主張したのである。

「我々には、米国は中国に謝罪し、世界は中国に感謝すべきだと言う権利がある」

彼らは武漢発のウイルスが恰《あたか》も米国発であるかのように情報操作をする。中国の白々しい嘘に、日本人はどう反応してよいか分からない。殆んど全ての日本人にとって想定外の中国人の嘘は、諦めの境地の笑いを投げかけ深く嘆息するしかないのである。

中国人の嘘が余りに白々しいために、どの国も、誰も信じないはずだなどと思ってはならない。中国の企みを軽くとらえてはならない。彼らは熱心に、執拗に事実を書き換え続けるからだ。その結果、真実の一かけらも含んでいなかった虚偽が事実として認定されてきた事例は山程ある。そうした中国の捏造に私たち日本人は散々苦しめられてきた。

「南京大虐殺」も「慰安婦性奴隷」も中国が捏造した。日本人が民間も政府もこんな大嘘は誰も信ずるはずがないと考えている間に、捏造は世界に拡散され、それを信ずる一定の国際世論が形成されてしまったではないか。再度強調したい。当初、日本人は余りに見え透いた嘘であるから、時間の経過と共に忘れ去られると考えたが、事実は正反対となって私たちに突きつけられている。

今回も武漢ウイルスの発生由来の書き換えを断じて許してはならない。そのために私はCOVID-19などという紛らわしい呼称ではなく、このウイルスを武漢ウイルスと呼び続ける。

## 「米国を恫喝」

中国共産党は建国百年の年までに、「人類運命共同体」である地球の盟主として世界の諸民族の中にそびえ立つことを目指している。「中華民族の偉大なる復興」を切望する彼らは武漢ウイルスという禍禍しいものは中華世界の産物であってはならないと固く信じている。禍禍しさや非難されるべき事柄は中国以外の野蛮国の問題であるべきで、中国とは無関係でなければならないと考える。

たとえば戦時においては住民を虐殺したのは中国軍だったが、そのような蛮行は全て日本軍によるものでなければならないと考え、歴史を捏造した。そして、いま彼らはウイルス禍は米国由来でなければならないと決めているのであろう。

彼らは自分たちこそが世界の盟主であるべきだと考える。中国は武漢ウイルスを賢く克服したモデル国であり、世界のリーダーたる資格は米国ではなく中国にあると思いを定めているのである。

そこで俄かに浮上したのが中国の強力な武器としての医薬品である。先の新華社の社説はこうも主張した。

「中国は医薬品の輸出規制をすることも可能だ。その場合、米国はコロナウイルスの大海に沈むだろう」

日本人ならすぐに鮮やかな記憶が蘇るだろう。レアアースだ。2010年9月7日、尖閣諸島の海で中国漁船が海上保安庁の船に体当たりし、日本側は中国人船長らの身柄を確保した。すると中国は日本に対する圧力としてレアアースの輸出制限に踏み切ったではないか。今回はレアアースの代わりに医薬品で圧力をかけると警告したのだ。

新華社の社説から1週間後の3月11日、フロリダ州選出の共和党上院議員マルコ・ルビオ氏が「FOX NEWS」で警戒心もあらわに語った。

「中国は医薬品供給を断つと言って米国を恫喝できる。その場合、我々が彼らと戦うことは非常に難しくなる」

ルビオ氏の発言は米国の置かれた苦しい立場を表現している。中国は世界の医薬品生産の主力にのし上がって久しいのである。医薬品の研究・開発においては依然として米国が世界のトップ水準を保っているが、製薬業の主体を担う力は中国に移っている。

他方、米国における薬の製造量は下降線を辿る一方だ。多くの人の命を救ったペニシリンは米国が製造した最後の主要な医薬品となった。それ以降、米国は抗生物質の80～90％、鎮痛・解熱剤の70％、血栓症防止薬としてのヘパリンの40％などを中国に依存してきた。米国の消費者向け医薬品の主要成分の80％以上が主に中国からの輸入品だとする統計もある。

## 諸国民の命を左右

このような状況下では、中国は特定の医薬品輸出を止める、或いは加速することで、相手国を窮地に追い込んだり助けたりすることが出来る。人命に関わるだけに、レアアースよりも切実な影響を及ぼし、その分中国の立場は有利になる。

米中貿易戦争の焦点のひとつが強力な鎮痛薬、合成オピオイドのフェンタニルだった。効果はモルヒネの１００倍とも言われる。米国の疾病管理予防センター（ＣＤＣ）の発表では17年の米国の薬物過剰摂取による死者は7万人余、内2万８０００人余りの原因がフェンタニルだった。こうした事態を受けて、17年10月、トランプ大統領はフェンタニルをはじめとする鎮痛剤の不正利用の蔓延を防ぐべく、非常事態を宣言した。

その翌年の18年12月に、トランプ氏がアルゼンチンで行われた習近平氏との首脳会談で、フェンタニルの対米輸出を取り締まるよう強く要請したのには十分な理由があったのだ。

だが、中国は決して一筋縄ではいかない。言葉と行動の間にはおよそいつも乖離《かいり》がある。トランプ氏が要請しても、中国のフェンタニル対米輸出がすぐに減少したわけではない。逆に中国の科学技術部はフェンタニルを米国に輸出する企業に助成金を支払い続けていた。悪魔的助成金と言ってよいだろう。

トランプ氏の要請から4か月後の19年4月、中国の公安部、国家衛生健康委員会はようやくフェンタニルの規制を翌月1日から実施すると発表した。そのときでさえも、中国側は「米国におけるフェンタニル類物質の主要流入元は中国ではない」と主張し続けた。

中国は、世界の生産量の圧倒的シェアを握るマスクなどを救援物資として与えて、諸国から賛辞を受けている。しかし、武漢ウイルスで表面化したサプライチェーン問題は、中国が世界の医薬品をコントロールし、諸国の国民の命を左右する力を手にした事実も明らかにした。日本も米国も、あらゆる意味で中国への依存度を急いで下げていかなければならない。

（2020年4月2日号）

**【追記】**

中国が武漢ウイルスの拡散によってどれだけの利益を得たか、また中国の医薬品産業がどれだけ成長したかについてはさまざまな統計がある。中国メディア、「財新」の報告を見てみよう。2020年9月26日配信の湯涵鈺《タンハンユー》記者の記事によると、20年3月15日から9月6日までの約半年で中国は医療用マスク1515億枚、防護服14億着、ゴーグル2億3000万セット、人工呼吸器20万9000台、赤外線体温計8014万台を輸出した。

その結果もあり、20年の医薬市場規模は1・75兆元（27兆7000億円）に達する見込みだという。

医薬品産業の発展、育成はハイテク産業育成政策「中国製造2025」の重要な柱のひとつだ。中国が自国の医薬品産業を育てる手法は市場原理を無視して乱暴な手法で外国の製薬メーカーを潰すことに他ならない。ブルームバーグ通信は20年8月21日の配信で世界的な医薬品メーカーのメルクやノバルティスが中国政府主導の安値攻勢で苦戦中だと報じた。公立病院などの医薬品調達の入札で海外メーカーの応札額を95％以上も下回る価格が示されたりするというのだ。

統合失調症治療薬は中国の斉魯《チールー》製薬が米イーライ・リリー社の手がける薬と類似の製品を1割以下の額で応札した。男性用性機能障害治療薬「バイアグラ」は斉魯製薬の後発医薬品（ジェネリック）によって中国での販路を完全にふさがれた。中国政府は55種類の医薬品を選び、平均価格で53％、引き下げたという。

このようにして外国の製薬メーカーを中国市場から締め出す一方で、中国は価格の安さを武器に世界市場に進出するのである。医薬品の原薬輸出で見ると中国は世界貿易量の半分弱を占める。たとえばインドは後発医薬品の製造大国として知られ、米国で消費される後発医薬品の40％がインド製品だ。だがインドの後発医薬品の原材料の68％が中国からの輸入によって賄われている。価格の比較では中国の原材料はインドのそれに較べて20～30％安い。

安値攻勢が中国の国策であり、民間企業で成り立つ側は圧倒的に分が悪い。こうして医薬品分野で確立した中国優位の状況を、中国共産党政権は他国支配の手段として活用するのだ。

そこで肝心の日本の状況である。医薬品産業は本来日本が強みを持つべき分野だが、現状は大幅な輸入超過で、その額は2兆4000億円に上る。また日本人の二人に一人は「がん」になる時代だが、国内で開発される「がん」の新薬はほとんど消滅してしまった。2000年度以降、輸入薬が急増し続けている。

医薬品とその原薬の輸入先は多岐にわたるが、中国、インド、韓国、欧州への依存度が高い。中でも中国への依存度は非常に高い。先述した理由により、中国は他国の製薬企業を国策として潰しにかかる。また欧州諸国で製造される医薬品の原材料、つまり原薬の多くが中国由来であることから、中国への依存度は統計に表われる医薬品貿易の数字よりも大きいと考えるべきだ。

## 優しいだけでは国民の命は守れない

サッカー選手の香川真司氏（32歳）が呼びかけた。

「ご存じのようにスペインでは本当にたくさんの人が苦しんでいます。日本もおそらく、これから感染が拡大されていくでしょう。それを止めるのはみなさん次第です。ワクチンもない、止める方法もない、一人一人の行動が、コロナに打ち勝つ唯一の方法です。今は自宅にいて待機することです」

〝ステイホーム〟のハッシュタグでメッセージを発信した香川選手は思慮深く、格好よかった。阪神タイガースの藤浪晋太郎選手も京都産業大学の学生たちも、あんな風に格好よい若者であってほしい。

今は、自分の思い中心でいくより、慎む方がよい。自分の欲望を追求するより他者への思いやりを優先する方が大事だ。その方が断然すてきだ。品格を備えたジェントルマンであり、分別ある大人である。

こんな状況の中、東京都知事の小池百合子氏が２０２０年3月25日夜、突如記者会見を開いて「感染爆発　重大局面」と書いたボードを手に「このままいけばロックダウンを招く」と語った。ロックダウンとは北京政府が武漢市全体を封鎖した手法である。小池氏はカタカナ言葉を多用する癖があるが、意味もわからずに使っているのであろう。日本のどこに、ロックダウンを可能にする法律があるのか。無責任な発言で世の中を混乱させるのでは傍迷惑だ。

どの人も武漢ウイルスの広がりに不安を募らせる中、小池氏はまたもや3月30日の記者会見で語った。「若者はカラオケ、ライブハウス、中高年はバー、酒場、ナイトクラブなど、接客を伴う店に行くことは当面控えてほしい」と。

不要不急の外出自粛も強く要請した。すると不要不急とは具体的にどういう場合か、などと疑問視した新聞があった。小池氏も小池氏だが、メディアもメディアだ。

具体的に教えてもらわなければそんなことも分からないのだろうか。人の暮らし方、おつき合いの仕方は各人各様だ。普段自由に生きている幾千万の国民、都民に対して、不要不急を具体的に示せとは、大人の問いとは思えない。本来、一人一人が自分で考えて判断することだろう。

若い世代への具体的な要望がなされるのは、若者たちの間でクラスターが発生しているからだ。京都産業大学の学生たちのイギリス、フランス、スペインなど5か国への卒業旅行、帰国後のゼミやサークルの懇親会やカラオケでの熱唱で集団感染が起きたことを知ると、21歳か22歳の君たち、十分大人でしょ、香川選手に学べ、と再度強調したくなる。

## 危機感に欠ける

ウイルスとの戦いは国民全員の協力なしには制することができない。若い世代は感染しても症状が軽くて済むと考えているかもしれない。しかし自らの感染でウイルスを拡散し、周りに感染を広げ、その人々の命を奪う可能性もある。そのことを自覚できる日本人でありたい。

政府は緊急事態宣言について、「まだ発出の状況にはない」として慎重な構えを崩さない。しかし少しずつ分かってきたのはこの武漢ウイルスとの戦いは本当に容易ではないということだ。何といっても感染後1週間から2週間は症状が出ないのである。症状が出た後の体調悪化は、あっという間のことだ。志村けんさんは倦怠感を覚えてから、12日後に亡くなっている。症状悪化の速度も凄まじいが、ウイルス拡散の勢いも凄まじい。だが、米欧諸国が悲惨な状況に直面しているのとは対照的に、日本の状況はコントロール下にあるといえるのではないか。その分、危機感に欠けるのではないか。緊急事態宣言で国民皆に自覚を促し、緊張感を持ってもらうことが大事であろう。一旦自覚しさえすればきちんと対処できるのが日本人だと、私は信じている。

そもそも日本国の建てつけは、国民の自覚、徳性、人品卑しからざることに依拠してようやく成立するものである。日本の憲法も法律も全て性善説で成り立っている。国家や政府が強い力で強制したり罰したりする形はとれないのである。あくまでも国民の善意、私利よりも他利の思想によって国も社会も運営されていく形になっている。

3月13日に成立した改正特別措置法の32条1項に基づいて首相は緊急事態を宣言することができる。その「緊急事態法」も決して強権が発動できる法律ではない。性善説に基づいたゆるいばかりの緊急事態法を発出する条件は、①新型ウイルスの国内での発生、②全国的かつ急速な蔓延、が確認できることである。

経済再生担当相の西村康稔氏は、①の条件は満たされているが、②の「全国的」な蔓延とまでは言えない、と語っている（「日曜報道　THE　PRIME」3月29日）。

法治国であるからには法の厳格運用は大事である。しかし、ウイルスの全国的蔓延とは何か。東京や大阪などの大都市だけでなく、東北や山陰地方のほとんど感染者が出ていない地域までも含めて「蔓延」が確認できなければならないということだろうか。それからの緊急事態宣言では遅すぎる。にも拘わらず、政府は「権力による強権発動」に慎重である。ウイルスとの戦いに臨んで、性善説に依拠する優しい法律で、私たちは大丈夫か。国の在り方の根本から見直さなければならないと思う。

## 戦える国

緊急事態を宣言すると実際に何が起きるのか、改めて特措法に沿って検証してみる。首相が宣言すると、知事は、ざっと以下の権限を行使できるようになる。

・みだりに外出しないなど、感染防止に必要な協力を「要請」できる。
・学校、社会福祉施設、興行場等に対し、使用制限や停止等の措置を「要請」できる。
・応じない時は措置を講ずるよう「指示」できる。

首相からバトンタッチされた後、知事にできることは要請と指示が全てで、命令はできない。朝日新聞などが度々指摘してきた「私権の制限」の危険性は特措法の次の部分である。

・臨時の医療施設を開設するため土地、家屋、物資を使用する必要のあるときは、「所有者及び占有者の同意」を得て、土地等を使用できる（49条1項）
・同意が得られないときは、同意なしに利用できる（同条2項）

万が一、日本で感染者が急増して、イタリアやスペイン、ニューヨーク州のような医療崩壊の危険性が見えてきたときは、大急ぎで病床をふやし、出来る限りの命を救わなければならない。新たな病院建設のために空いている土地の一時的提供を知事が求めるのはやむを得ないことだ。それに応えるのは国民の義務だ。これは本当に緊急事態に対するための措置で、これを私権制限だといって危険視するのはおかしい。朝日の主張は本末転倒だ。

日本大学名誉教授の百地章氏が指摘した。

「中国と違って人権を手厚く保障している欧米各国でさえ、国民の外出や移動の禁止、商店の閉鎖などを次々と行っています。フランスでは買い物などを除き全土で国民の外出を禁止しました。米国ではトランプ大統領が国家非常事態を宣言し、カリフォルニア州は実質的な外出禁止令を出しました。理由なく外出した人に罰金を科す国もあります」

性善説に基づく、限りなく優しい法的枠組みだけで、ウイルスの猛威から国民の命を守れるのか。答えは守れない、である。必要な時には強い力で指導し、戦える国にならねばならない。

（2020年4月9日号）

**【追記】**

2020年4月7日、安倍晋三首相（当時）は初の緊急事態宣言を発出した。期間は5月6日までの1か月間とし、対象区域は東京、千葉、埼玉、神奈川、大阪、兵庫、福岡の7都府県とした。

小池百合子都知事のロックダウン発言から2週間後の緊急事態宣言について、安倍氏は21年4月4日、産経新聞紙上で次のように語っている。

「宣言を出さないという選択肢はないと考えていた」「(小池氏がロックダウン発言をした当時)官邸では、日本では法的にロックダウンはできないと議論していた。ただ、政府と東京都が対立しているかのような姿は危機管理上よくない上、そうした誤解がある中では宣言を出せないと考えた」「大切なことは国と地方ができる限りそれぞれの責任を果たし、その上で両者が連携することだ」「最悪なのはお互いが非難し合ったり、責任をなすりつけ合ったりすることだ」

小池氏は法的に出来るはずのないロックダウンを口にした。彼女は武漢ウイルス封じ込めで自分こそが先手先手を打って対処している、政府は後手後手だというイメージ作りに躍起である。小池氏の発言で安倍首相は国民がロックダウンと緊急事態宣言を同一視して都市封鎖のようなことが起こると誤解し、買い占めなどのパニックに陥ることを懸念した。そうした誤解を解くべく一定の時間をおいてようやく宣言を出すに至った。小池氏のパフォーマンスは、都民の健康のためというより「自分のリーダーシップを演出したい」という野望の表現だったと言ってよいだろう。

小池氏の姿勢は小泉純一郎氏のそれと似ている。抵抗勢力を作り出して、それと戦う構図を作ることで一般国民の共感を得る手法だ。小池氏はロックダウン発言とその無意味さから学んでいないのか、相も変わらず政府との対決姿勢を演じて、自分こそがリーダーシップを発揮しているというポーズを作ろうとする。

21年3月5日、菅義偉首相(当時)は東京、神奈川、千葉、埼玉の一都三県の緊急事態宣言を再延長することを正式決定した。このとき小池氏がまたもや小賢しい画策をしていた。以下は神奈川県知事、黒岩祐治氏への取材で判明したことだ。氏はざっと以下のように語った。

「月曜日（3月1日）、小池さんから緊急事態宣言の延長が必要でしょうという電話をもらいました。神奈川県の状況は少し落着いていましたので、もう少し状況を見たいと言って返事は留保したのです。すると、翌日、いきなり西村康稔担当大臣とのアポイントメントを取りつけている、官邸に一都三県の知事が揃っていきましょう、要望書もできているというのです。紙には延長を要請と書かれている。私はそうじゃないでしょうと思いました。感染者は少しずつ減ってきていましたし、重症患者数、病床使用率などいずれもかなり下がっていました。第一、一都三県の知事の間で、延長要請の話し合いなどしていないではないかと抗議したのです。ところが小池さんはもう千葉も埼玉も同意していると言う。そこで両知事に電話したら、千葉の森田知事は、小池氏が黒岩知事が賛成していると言ったから、それでは千葉も行動を共にしようと考えたと返答した。埼玉の大野知事も同じ回答でした。それで私は小池さんに言いました。こんなことでは信頼関係が崩れます、と」。詳細は3月5日の「言論テレビ」で報じている。小池知事の嘘を暴いた黒岩知事の証言を最初に伝えたのが「言論テレビ」だ。興味のある方は御覧いただければと思う。それにしても小池氏は本当に懲りない人だ。尚、番組では感染者数、病床使用率についても小池都政下でどんな虚偽の数字が発表されているかを具体的に語った。

## 危機の中、重要企業狙いの中華戦略

こんな狡猾な国があるのかと、中国の動きを見て思う。彼らは内外における米国の統制力が陰った今こそ、勢力拡大の好機ととらえて触手を伸ばし続ける。

中国湖北省武漢発の新型コロナウイルスで国際社会は混乱の中にある。とりわけ米国は2020年4月11日、感染者だけでなく死者においても世界最多の国となってしまった。米軍の海外展開の基盤である11隻の空母群の内4隻までも武漢ウイルス汚染で展開不能となった。最悪の状況である。

米空母群の内、感染が最も深刻なのがグアムに停泊中のセオドア・ルーズベルトだ。乗組員4800人の内、4月10日時点で474人の感染が確認されたという。米ワシントン州に停泊中のニミッツや、横須賀基地で整備中のロナルド・レーガン、ワシントン州で整備中のカール・ビンソンでも感染者が出た。

「ルーズベルト」の艦長クロージャー氏は、船内の感染状況に危機感を覚えて上司に報告した。しかし自分の地元の新聞に、感染者の隔離を求めた書簡の存在を報道されてしまった。空母の動向は軍事機密であり、その内部情報を中国に知らせる結果となったのは軍規違反だとして、彼は解任された。

　これだけでも軍規の乱れを示すには十分だが、4月7日になって海軍長官代行のモドリー氏が辞任した。クロージャー氏について「頭がおかしい」などと痛烈な批判をしたことを、エスパー国防長官に咎められた結果だという。

　米海軍の混乱、ここに極まれりという印象である。中国共産党機関紙「環球時報」は「ウイルス感染によって米海軍の全世界への展開能力はすでに深刻な打撃を受け、東シナ海、台湾海峡、南シナ海で米軍は対処困難になっている」と、報じた。

　このような時だからこそ、中国は攻勢に出るのである。中国人民解放軍（PLA）は全軍の兵士に『孫子』を必読の書として学習を命じている。その「軍争」にはこう書かれている。「整然たる旗じるしを迎え撃ってはならず、堂々たる陣地を撃ってはならない」。敵がしっかりしているときは攻めてはならないとし、そのような時は、「敵方の乱を待ち受け、敵方のざわめきを待ち受ける」のがよい、と。

## 米国への宣言

　敵方、即ち米軍の乱れとざわめきの中で、PLAが大胆に動いているのがまさに現在である。

　2月から3月にかけての彼らの行動は挑戦そのものだ。まず2月9日、最新鋭ステルス戦闘機「殲」と爆撃機「轟」が編隊を組んで、台湾の南側にあるフィリピンとの間のバシー海峡を通過し西太平洋に抜けた。編隊の中の4機の爆撃機は西太平洋に出た後、北上してわが国の沖縄本島と宮古島の間の宮古海峡を通過した。10日にも轟の編隊がバシー海峡を往復、護衛機が台湾海峡の台湾側を飛行した。台湾は中国の一部であり、中国軍機はどこを飛ぶのも自由だという意思表示だろうか。

ＰＬＡがバシー海峡を通過したことの意味はとりわけ深い。前統合幕僚長の河野《かわの》克俊氏が指摘した。

「バシー海峡を通過し西太平洋を自由に飛行することは、ＰＬＡが第二列島線を易々と越えて南太平洋を押さえに来ているということです。彼らの目的は日米豪の連携を物理的に断ち切ることです。そのために南太平洋のソロモン諸島やパラオ、マーシャル諸島、キリバス、トンガなどに接近しています。ＰＬＡは第二列島線を制して、第三列島線の確保に向けて動いているのです」

第三列島線はハワイ諸島のオアフ島やカウアイ島の鼻先に設定されている。日付変更線からさらに少しばかり東に行った東経１６５度以西の太平洋ほぼ全域を囲い込む線である。太平洋を米国と二分割して支配する壮大な戦略目標を中国共産党は掲げているが、その達成には、まず足下の台湾制覇が必要だ。一連の軍事行動はそのためなのである。

2月28日には、ＰＬＡの爆撃機「轟」の編隊がまたもやバシー海峡を往復し、台湾の防空識別圏に侵入した。

3月16日には戦闘機「殲」の一群と早期警戒管制機が、台湾の南西沖で異例の夜間訓練を実施した。

台湾海峡も台湾本島も全て中国側に囲い込む形で異例の夜間訓練をし、その南に広がる海峡を自在に飛行するＰＬＡの行動は、「台湾は中国の一部だ」と世界に示すためのものである。同時に、混乱の最中にある米国に、近い将来中国は南太平洋を席巻すると宣言しているのである。

他人事ではない。わが国の尖閣諸島海域に侵入する中国公船はコロナウイルス発生後、約50％

も増えている。

## 中国ファンドの買収工作

中国発のコロナウイルスで世界中が迷惑を被り、混乱しているときに、なぜ、元凶国である中国は力による世界の現状変更を進めようとするのか、なぜ攻勢を強めるのか。穏やかで一本気な多くの日本人には理解し難いと思うが、中国共産党もPLAも、謀略を最高最善の武器と見做していることに気付くときだろう。彼らは謀略を基本とした兵法を理論づけ、体系化した孫子の兵法を骨身にしみるところまで学び、その謀略論を実践することこそ最善の勝ち方だと信ずる人々なのだ。

中国が意図しているのはあらゆる分野での勢力拡大である。武漢ウイルスで各国の経済は大打撃を受け、景気は大恐慌にも匹敵する落ち込みとなっている。中国はこうした事態につけ込み、地価の下がった土地を買い、経営の苦しくなった企業の買収に動いている。

それに対して、欧米各国は中国の戦略のあくどさを喝破し、自国企業を中国ファンドによる買収工作から守るべく防衛策を発表した。

中部大学特任教授の細川昌彦氏は、欧米各国では外国資本による国内企業への投資を規制するため、対内投資規制強化と、国家ファンドの設立が相次いでいると指摘する。株価の急落であらゆる企業の買収が以前よりずっと容易になっている。そこを狙っているのが中国系ファンドである。狙われているのは国家の安全保障の基盤を支える幅広い産業だ。とりわけ注目されるのが「中国製造２０２５」でも明記されている半導体及びその製造装置である。半導体は米中が覇権を争う５Ｇ（第5世代移動通信システム）に必須のもので、中国の製造能力はまだ高くない。中国はこれらの国内生産を２０３０年までに自給率75％に引き上げるとしており、その手段として、たとえば台湾の半導体受託生産企業、台湾積体電路製造（ＴＳＭＣ）の買収を虎視眈々と狙っている。

　安全保障の根幹に関わる企業を中国に買われるのを阻止するための基金を、米国は５０００億ドル（約55兆円）、ドイツは72兆円規模で設立した。

　日本はどうか。コロナウイルスに関して生活支援や失業対策に注目する余り、国家の安全保障の土台をなす産業が丸々中国に買い取られるという危機感は全く見られない。この危機意識の欠如こそ最大の危機だ。

　しかし、日本国や日本人が気づかない日本の価値を、外国政府や外国企業の方が理解していることに留意したい。たとえばＴＳＭＣは日本のつくば市と北九州市に研究所と工場建設を考えている。世界が欲しがる最先端の技術力を有する企業が、国際政治の力学故とはいえ、日本を選んで工場を立地させる。そんな日本の実力を、日本こそがもっと評価することから、私たちは明るい未来展望の道を拓くことができるのだ。

（２０２０年４月23日号）

## 韓国総選挙、文氏大勝利で進む反日

韓国の政治はまるでジェットコースターのような激しさで変化する。2020年4月15日の総選挙で武漢ウイルスを巧妙に利用した文在寅大統領と文氏の与党「共に民主党」が一院制議会の定数300議席中180を獲得し、実に6割を制した。圧倒的勝利だ。文氏がこのまま「勝利の方程式」の道を歩めるとは限らないが、韓国で反日政権が強力な基盤を築いたことの意味は深刻である。

韓国では議席の6割を持てば本会議で法案を「迅速処理指定」できる。迅速処理に指定された法案は野党の反対などで委員会で採決されなくとも、本会議に上程し、議長権限で採決することができる。

6割を手にした韓国与党は、自分たちの希望する法案を迅速処理に指定し可決できるのであり、3分の2の支持が必要な憲法改正を除いておよそ全ての法案を通すことが可能になった。事実上文大統領と与党の独裁が可能になったのである。

文政権が着手すると思われる具体的法案はすでに明らかになっており、それらを見るとこの政権は紛れもない反日革命政権だといえる。まず4本の反日新法は以下のとおりだ。①親日的発言者を処罰する、②親日派の財産を没収する、③親日派の叙勲を取消する、④国立墓地内の親日派の墓を掘りかえし移動させる、である。

4月17日、「言論テレビ」で朝鮮問題専門家の西岡力氏が語った。

「韓国では親日派への厳しい批判だけでなく、たとえば元慰安婦のおばあさんたちを客観的な証拠をもって批判することさえ処罰しようという議論がずっとありました。そうした法案は何度も作られ国会に上程まではされました。反対論も強くこれまでは否決されてきましたが、いま状況は一変しています。親日派というより、客観的に正しく歴史を見詰めて議論しようという人々がいきなり刑事罰に処せられる可能性があります」

『反日種族主義』（文藝春秋）を上梓した元ソウル大学経済学部教授の李栄薫《イヨンフン》氏や、同書の共著者で、国連人権理事会の関連行事で戦時朝鮮人労働者は強制連行でも奴隷労働でもなかった、日本人と同じ給料が支払われ、同じ扱いを受けていたと英語で講演した李宇衍《イウヨン》氏らは、真っ先に①の法律で収監される危険性がある。

## キリスト教徒への弾圧

②はすでに実施中だが、「それでも生温《なまぬる》い」として強化される。
③と④は親日派を辱めるために、大々的な政治ショーとして行われるだろう。対象者の筆頭は朴正熙《パクチョンヒ》元大統領であろうか。
これらの法律が実際に成立したら実証的な学者たちはおよそ皆刑事罰を受け、日韓関係はさらに悪化するだろう。言論テレビで「統一日報」論説主幹の洪熒《ホンヒョン》氏が警告した。

「文政権の打ち出した三つの国内政策は革命断行の宣言です。選挙が終われば、市場と宗教と言論を変えると宣言しています」

「市場を変える」とは、自由経済体制を変革し、文氏が長年表明してきた社会主義的経済に移行するという意味だ。文氏は「反財閥」「反金持ち」「反自由主義経済」に傾く人物だ。資産家への感情的反発は非常に強く、その富を奪って再分配するという信条を持つ。「大韓航空」も「現代」も経営基盤を崩されつつあるが、文氏の信念である財閥解体を実現するものであろう。

文氏の宗教に対する反感も強い。現在進行中のキリスト教徒への弾圧について洪氏が語る。

「韓国の総人口の4分の1がキリスト教徒です。これまで保守派は多くの反文在寅デモを主催し、政治闘争をしてきましたが、その中心軸がキリスト教の教会勢力でした。だから文政権にとって一番厄介なのがキリスト教徒なのです」

文政権は教会勢力の有力な指導者だった全《チョン》光焄《グアンフン》牧師を理由にならない理由で選挙前の2月24日に拘束した。獄中の全牧師は、体調不良が懸念され4月20日に56日振りに釈放されたが、体調は悪く政治活動の前線に立てずにいる。全牧師を失った教会は政治的影響力を一気に奪われた感がある。如何に影響力が強かったとはいえ、総人口の4分の1、１０００万人以上のキリスト教徒が存在しながら、一人の指導者を奪われただけで、なぜ教会は勢いをなくしたのか。

「そこが文在寅左派勢力の巧妙なところです。彼らは武漢ウイルスを利用して、全牧師は頭のおかしい変な奴だというイメージを作って孤立させました」と西岡氏。

韓国では、新興宗教団体である新天地の集団感染が大問題となった。キリスト教系の新興宗教団体であったことから韓国社会に教会への警戒感が生まれた。そうした中、全牧師は野外での礼拝で「神様が病気を治してくれる」と語った。

牧師なら当然言うであろうこの一言が繰り返し報じられ、当局はそれを利用した。また先述のように当局は、政治的理由で全牧師を逮捕した。それを見た他の教会は全牧師と距離を置き始め、教会勢力のまとまりが失われたのだという。

### 総選挙は「韓日戦」

文在寅政権下で熱病のように広がっている「言論の改革」はこのままいけば言論の自由を封殺し、文政権への批判を許さない物言えぬ国へと、韓国を変貌させるだろう。韓国内の言論空間がどれほどねじ曲っているか、どれほど異常であるかは、今回の総選挙が「韓日戦」として戦われたことからも明らかである。韓国の選挙なのに、争点は日本だったのだ。そのことをわかり易く見せてくれるのがポスターだ。与党系支持者によるネット上のポスターは「共に民主党」のシンボルカラーである青と、野党側のシンボルカラーの赤で半々に塗り分けられている。赤の側には安倍首相、岸信介、東条英機、豊臣秀吉らが描かれ、赤と青の境目に「朝鮮日報、中央日報、東亜日報、自由韓国党」の名が赤色で大書された。これはメディア3社と野党第一党は親日だという意味であろう。

「政権側の姿勢の厳しさを、当の韓国メディアが認識しているとは思えません。朝鮮日報は狙われています。中央日報も東亜日報もやられると思います」と西岡氏は警告する。

冒頭で指摘したように、文氏の与党は総選挙で大勝した。これから韓国情勢は大激変の嵐に突入するのは避けられない。だが、悲観することはない。選挙結果は韓国全体が文氏支持ではないことも示しているからだ。与党と野党第一党は議席では180対103と大差がついたが、得票数では1430万票対1190万票。その差は240万票、8％である。ならば、その半分の4％、120万票で結果を反転できるということだ。文政権は議席では60％を獲得したが得票では49・9％だったのだ。

つまり、韓国の保守勢力はまだ大きな力を有しているという意味でもある。問題は歴史認識の厚い壁である。左派・従北勢力は長年、文化戦略を通して韓国人に「反韓国」の歴史観を植えつけた。それが日本との協力関係を介して韓国が経済的繁栄を実現するに従い、韓国自身への批判に行き着くのは当然だろう。

日本への批判は批判として、事実に基づく教育を保守派はすべきだった。日本の統治も戦後の政策も、実は法に基づいた公正なものであったこと、その中で韓国繁栄の基盤も築かれたことを受けとめる冷静さを韓国はもつべきだった。李栄薫氏らの実証的な歴史教育こそ若い世代に教えるべきだったのだ。だが韓国政府も韓国の大人もそれをしなかった。結果としていま、北朝鮮の脅威の実態や日本の貢献を知る年長世代が否定され、歴史を知らない若い世代が反日文政権の支持母体となっている。

正しい歴史教育をする勇気を欠いたことが韓国の現実につながっている。日本にとって他山の石である。

（2020年4月30日号）

**【追記】**

本稿で報じた総選挙と文在寅大統領及び与党の大勝利は、それから約1年後の2021年5月段階で色あせたものとなり、支持率は30％以下に急落した。その間さまざまな変化が韓国内で起きてきた。日本で大きく報じられたのが21年4月21日にソウル地方裁判所が示した元慰安婦ら20人の日本に対する賠償請求を「主権免除」の原則を適用して却下した判決だった。

主権免除の原則とは、主権国家は平等であるため、主権国家は他国の裁判の被告にはならないというものだ。国家が他国の法律の下に入るとなれば、対等な関係が維持できない、従って主権国家は他国の裁判の被告にはならない、つまり訴えられないという原則である。

4月21日のソウル地裁の判決は国際社会の司法の原則に韓国の司法が従った、その結果、女性たちが求めた賠償請求も却下されたというだけのことだ。だが、それが日本で大ニュースになった理由は、同年1月8日に同じソウル地裁で元慰安婦や遺族ら12人が訴えた対日損害賠償請求のもうひとつの裁判で全く正反対の判決が下されていたからだ。1月8日の判決は日本に対して主権免除の適用を否定し、12人の原告に賠償を命じていた。

日本のメディアでは4月21日の判決は日本に対して有利な判決であり、なぜ1月8日とは〝正反対〟の判決が出たのかなど、議論が沸騰したが、判決文を精読すると、事態は生易しいものではないことが明らかだ。21年5月7日、西岡力氏を「言論テレビ」に招いて議論した内容を以下にざっとまとめてみる。

まず、1月8日の判決で示された理屈は、日本政府は女性たちを連れてきて慰安婦にさせるということを業者にやらせた、主権免除の原則はあるが、人道に対する罪のような著しい人権侵害の場合であるために主権免除の原則を適用しなかったというものだ。

それに対して4月21日の判決は、日本は主権行為として慰安婦を集め、慰安所で性行為を強要した。慰安婦問題はあくまでも日本政府による主権行為であるから、主権免除の原則を適用して却下したというものだ。国家犯罪であるから主権免除にしたということであり、日本が喜んでよい内容ではない。

4月21日の判決が明記しているのは慰安婦被害は日本国による人道への犯罪だということ、1965年の日韓請求権協定及び2015年の慰安婦合意によっても元慰安婦らの損害賠償請求権は消滅しないという点だ。ここから、判決は、日韓両政府に外交によって問題解決をはかるべきだと促している。

外交的解決とは話し合いであるが、わが国は韓国政府との話し合いで度々煮え湯を飲まされてきた。取り決め事項が守られず、次々に新たな要求が突きつけられるのはいつもの事だ。その行き着く先に国際司法裁判所に委ねるというのがある。これはしかし、独伊の争いから見ても危険である。

ナチスドイツに強制労働をさせられたとしてイタリア人の元捕虜の男性がイタリア国内で訴えを起こした。イタリアの司法は原告であるイタリア人に勝訴の判決をもたらした。するとドイツ政府はこの件を国際司法裁判所に訴え、結論から言えばドイツが勝った。主権免除の原則で勝ったのだ。しかし問題は残った。判決はドイツ勝訴だが、結論に至る判決の内容ではドイツは完敗しているのである。

ナチスのした悪業が連記され、ドイツはこれを全面的に認めた。ドイツは主権免除で賠償金の支払いは逸《のが》れたが、判決内容を見る限り、敗れたと言ってよい。

これを日本に当てはめるとどうなるか。同じようなことになるだろう。まず判決は主権免除で日本が勝つ。しかし判決文の内容は酷いものになりかねない。ナチスドイツは本当に酷いことをしたが、日本はしていない。慰安婦は強制連行ではなかったし、性奴隷でもない。終戦間際に慰安婦を大量殺害したこともない。それは日本人ならおよそ全ての人が知っているが、国際情報戦の現場では日本の主張はほとんど沈没状態だ。情報戦においては韓国や中国の方がはるかに先行している。結果として、日韓の歴史問題について白紙状態の第三国の判事が国際司法の場で慰安婦問題を扱う場合、日本の主張よりも韓国や中国の主張に傾きがちだと思った方がよい。日本にとって国際司法裁判所に持ち込むことはリスクのあることなのだ。だからこそ、日本の国際広報を強めなければならない。

文在寅政権下での慰安婦裁判では主として五つの勢力が存在する。①おカネがほしい原告団、②日本から高額の和解金をとって基金を作ろうとする人々。彼らは基金を運用しつつ長期間の運動を目指す、③和解をさせずに日韓関係を悪化させたい人々、④国際司法裁判所に持ち込もうとする人々、⑤元ソウル大学経済学部教授の李栄薫氏ら、事実をあるがままに受け入れている人々、である。私たちは⑤の人々とこれまで以上に協力していかなければならない。

## 中国の豪州侵略は、日本への警告だ

豪州は危ういところで踏みとどまった。殆んどの人々が気づかない内に中国に国を乗っ取られるところだった。すでに手遅れの分野はあるものの、中国の侵略は「まだ止めることはできる」。オーストラリア人たちが祖国を守る手立てを講じることは、まだ可能である。中国の魔の手を払いのけるのは容易ではないが、希望は豪州政府、そして一部とはいえ議会が、祖国があらゆる分野で長年にわたって中国の侵略工作に蝕まれていたと、ようやく気づいたことだ。

中国は如何にして豪州を意のままに動かし得る体制を築き始めていたのか、その実態を詳述したのが『目に見えぬ侵略　中国のオーストラリア支配計画』（クライブ・ハミルトン著、山岡鉄秀監訳・奥山真司訳、飛鳥新社）である。

著者のハミルトン氏は豪州キャンベラのチャールズ・スタート大学公共倫理学部で教授を務める。氏が豪州における中国勢力の浸透に最初に不審を抱いたのは2008年、北京五輪の年だ。聖火が到着したキャンベラに何万人もの中国系学生が集まり、一般のオーストラリア人が中国人たちから蹴られ、殴られた。自分の国で外国人学生の乱暴狼藉をなぜ受けなければならないのか。そもそも万単位の中国人学生たちは如何にして突如キャンベラに集結したのか。この疑問が氏の中国研究の始まりだった。

氏の体験は、同じ年、長野市に中国人学生が集結しチベット人や日本人に暴力を振るった事件とほぼ完全に重なるではないか。

監訳者の山岡氏はかつてシドニー郊外のストラスフィールド市の公有地に慰安婦像が設置されようとしたとき、そこに住んでいる日本人のお母さん方と協力し、現地の豪州人も交えて話し合い、像設置を止めた体験を持つ。中国の侵略工作の現実を識《し》る二人の研究者の手を経て日本の読者に届けられたのが本書である。

本書は紛れもなく日本に対する警告の書だ。豪州の人々は中国の侵略の意図など夢にも気づかず国を開きすぎたとハミルトン氏は書いている。私は日本が同じ道を進もうとしていると深刻な危機感を抱いている。

## 電力は産業のコメ

北京の大戦略は米国の同盟国を米国から分離させ、米国の力を殺《そ》ぎ落とし、中華の世界を築き上げることだ。『目に見えぬ侵略』は、北京が豪州とニュージーランド（ＮＺ）を米国の同盟国の中の「最弱の鎖」と見ていること、この両国を第二のフランス、つまり「米国にノーと言う国」に仕立て上げたいと考えていること、その為に両国の国全体、社会全体をコントロールし易いように親中的に変えていく政策を、中国政府が採用したことをつきとめている。

これは中国お定まりの手法だ。１９９８年に江沢民国家主席（当時）が国賓として訪日した。それに先立って中国共産党がまとめた対日政策の中に似た記述がある。日本を支配するには日本人が自ら中国に尽くすように日本人の価値観を変えていくことが重要で、その為に未来永劫歴史問題を活用するのが最上の手段だなどと書かれている。

豪州全体を親中色に染め上げるべく、北京政府は２０００年に試験的に華僑の活用を開始し、11年に完全に制度として確立したとハミルトン氏は断じている。世界に散らばる華僑は２３００万人規模、豪州総人口２５００万人の内１００万人以上が中国系市民で、彼らも北京政府の標的に含まれているという。

華僑を大勢力としてまとめる司令塔が僑務弁公室だった。同室は豊かな中国人ビジネスマンの政治献金、選挙時における中国系市民の組織票の動員、中国系候補者を当選させるための支援、政府高官の取り込み、中国を利する政策決定の誘導等、幅広く活動する。

ハミルトン氏は、われわれは「中国共産党は、支配のための考え抜かれた長期的戦略」に従って動いていることを忘れてはならないと強調する。中国は豪州人の精神を親中国に変えることに加えて、豪州に対する有無を言わさぬ支配権を握るべく工作してきた。そのひとつがインフラの買収だ。

数ある事例のひとつが電力である。ビクトリア州の電力供給会社5社と南オーストラリア州唯一の送電会社はすでに、中国国営企業の国家電網公司と香港を拠点とする長江基建集団の所有となった。豪州西部州の三大電力販売会社のひとつ、エナジーオーストラリアは３００万人の顧客を持つ大企業だが、これも香港に拠点を持ち北京市と深い関係にある「中電集団」に買い取られた。豪州最大級のエネルギーインフラ企業、アリンタ・エナジーも香港の大富豪、周大福に40億豪ドル（約３２００億円）で売却された。

電力は産業のコメだ。安定した供給なしにはその国の産業は成り立たない。豪州政府が中国の意向に逆らうような政策を打ち出す場合、北京政府は中国系資本所有の電力会社の供給を止めることで豪州を締め上げることができる。

## 特別に甘い言葉

ハミルトン氏は警告する。豪州の配電網は電信サービス網と融合しているため、前者の所有者は豪州全国民全組織のインターネットと電話のメッセージ機能すべてにアクセス可能になる。豪州政府の情報すべてを中国は文字どおり、手にとって見ることが可能なのだ。豪州は政府ごと丸裸にされているということだ。

中国はさらに攻勢を強め、首都キャンベラや、シドニーを擁するニューサウスウェールズ州の電力インフラ、オースグリッドを99年間租借しようとした。豪州連邦政府が危うくこれを阻止したのが16年8月だった。

だが、豪州内の親中勢力は右の政府決定に徹底的に反撃した。そして奇妙なことが起きた。17年4月に対中警戒レベルを上げていたはずの外国投資監査委員会が突如軟化し、巨大インフラ運用会社「デュエット社」を、長江基建を主軸とする中国のコンソーシアムに74・8億豪《ドル》（約6000億円）で売却することを許可したのである。

豪州の国運をかけての戦いは一進一退だ。現在モリソン豪首相が新型コロナウイルスの発生源に関する独立調査を求めたのに対して、北京は豪州産農産物の輸入規制で報復中だ。輸出の3割を中国に依存する豪州には大きな痛手だが、首相支持率は66％、2倍にはね上がった。業を煮やした北京政府が特別に甘い言葉をかけ始めたのが日本である。

中国共産党機関紙の環球時報が2020年5月26日、「日本は豪州に非ず」という社説を配信した。日本は豪州とは異なる、米国側につかず、中国側に来いとして、次のようにも書いた。

「米中摩擦の中で日本が正義の側（中国側）でなく、同盟国側につくなら、日米同盟を当然の（安全）策として活用することはできない」

米国側につけばただでは措かないという恫喝だ。日豪はいま中国の攻勢の真っ只中にある。共に力を合わせて中国共産党の侵略から国と国民、経済を守り通さなければならない。

（2020年6月11日号）

## 燃え尽きた滋氏、その遺志を継ごう

2020年6月5日、横田滋さんが亡くなった。87歳。めぐみさんをその腕に抱きしめることなく逝ってしまったが、早紀江さんは、滋さんは神様に召され天国に行ったと確信する。

滋さんはどんなときも穏やかだった。ふとした会話のときも、向き合って時間をかけてお話を伺うときも、基本的に笑みを絶やさない。しかしその穏やかな表情とは対照的に、いつも必死だった。心の中はめぐみさん拉致に関するあらゆることがぎっしり詰まっていた。めぐみさんを救い出したいという想いで一杯一杯だった。ひょっとした拍子に一杯たまっている涙がこぼれ出してくるような、そんな大きな悲しみを抱えながら人生の全てを賭けて闘っていることが伝わってきた。だから何を質問しても、即座に何年何月何日の何時頃、というような形で、驚くべき密度の濃い答えが戻ってくる。

滋さん、早紀江さんにとって、めぐみさんがいなくなってから約20年――一言で20年というが、それは本当に気が狂うほど苦しみ悩んだ時間だったはずだ――がすぎた頃の1996年、早紀江さんは教会の祈りの会で特別親しかった友人ら3人と残り、「どうぞ神様、めぐみがどこにいるか、教えて下さい」と祈った。当時のことをインターネット配信の「言論テレビ」6周年の集い（2018年）で早紀江さんが語っている。

「夕方帰宅したら、暗くなる中、電気もつけずお父さん（滋さん）がソファに座っていました。いつもと様子が違います。どうしたのと尋ねましたら、じっと何かを探すような目で言ったのです。めぐみちゃんが北朝鮮に連れて行かれて住んでいると、（元共産党国会議員秘書の）兵本《ひょうもと》達吉さんから連絡があったというのです」

早紀江さんは驚き、喜び、泣いた。だが、それは新たな苦しい闘いの始まりだった。

## 当時の政界は北朝鮮シンパ

日本政府は88年3月26日の参議院予算委員会で、梶山静六国家公安委員長（当時、以下同）が「昭和53（1978）年以来の一連のアベック行方不明事犯、恐らくは北朝鮮による拉致の疑いが十分濃厚」と答弁したように、北朝鮮による日本国民拉致を正確に把握していた。しかしこの一大ニュースは「産経」と「日経」が小さく報じただけでメディアの関心は極めて低く、国民一般には殆んど伝わらなかった。

これより少し後のことだ。88年9月、有本恵子さんの母、嘉代子さんは拉致被害者の石岡亨さんの手紙で恵子さんが北朝鮮にいるとの情報を得て、地元神戸選出の社会党委員長、土井たか子氏を頼ったが門前払いされたと語っている。嘉代子さんの指摘どおり、社会党が社民党になっても、彼らは全く取り合ってくれなかった。金丸信氏全盛時代の自民党も同様で、当時の政界は北朝鮮シンパで溢れていたといってよいだろう。

その中でとりわけ酷かったのが社会党だが、北朝鮮と深い交流関係にあった同党副委員長の田辺誠氏が金丸氏と共に訪朝し金日成主席と会談した。梶山答弁から2年半後の90年9月だ。「金丸訪朝団」は、まるで拉致事件など存在しなかったかのような友好的訪朝に終始した。政界は拉致に関して全く動こうとしなかったのだ。

国民の命を守るという政治の最重要責務が置き去りにされる中で、横田夫妻ら拉致被害者の家族たちは悩みに悩んだ。政治が拉致事件を解決してくれないなら、世論に訴えかけるしかない。だが具体策となると家族間でも意見が分かれた。早紀江さんが語る。

「私と息子二人はめぐみの実名を出すと、北朝鮮が証拠隠滅でめぐみを亡きものにするかもしれないと心配して、実名公表に反対しました。主人は20年間真実は分からなかった、やっといま事実が出てきた、いま全力でやらなきゃだめだと。わが家は3対1に分かれましたが、結局皆で主人の決断に従うことにしました」

めぐみさんの命が危うくなるかもしれない、だが、いまは正面から闘うときだ。滋さんは大きな決断を下した。そのときの心情を滋さんは13年1月25日の「言論テレビ」で詳しく語っている。

「佐藤勝巳さん主宰の『現代コリア』ホームページの拉致被害者リストには、めぐみの名前が一番先に出ていました。新進党の西村眞悟議員がめぐみの件で国会に質問主意書を出す準備も始まっていると、AERAの記者から聞きました。私はそうした状況では実名公表しかないと決断したのです。すると(97年)2月3日に産経新聞が『少女拉致事件』としてめぐみを大きく取り上げました。同日夕刊で読売、朝日が、4日には毎日など大手新聞すべてがめぐみを報じました」

## 国民全員で支えたい

真面目さゆえに慎重さが先に立つ滋さんの大決断だった。横田夫妻がめぐみさんの写真を掲げて前面に立つことで弾みがつき、梶山答弁から約10年、97年3月に家族連絡会が結成された。「実名公表」は間違いなく拉致被害者救出を目指す家族会を支える基盤となった。家族会の人々の力は結集され、確実に日本政府を動かし、世界を動かした。

滋さんは拉致された日本国民だけでなく、日本よりはるかに多くの国民が北朝鮮に拉致されているにも拘わらず、韓国社会で徹底的に無視され、差別される韓国人の拉致被害者にも心を寄せた。その他の国々の拉致被害者救出も熱心に訴え続けた。

横田夫妻と食事をしたときのことを想い出す。滋さんは実に美味しそうにお酒を嗜む。私の好きな新潟の銘酒を冷やで勧めると、渇いた喉を潤すようにスーッと飲んだ。グラスを空け、杯を重ねる。早紀江さんが解説した。

「お酒なら何でも好きなんです。いろいろな種類を順ぐりに飲むんです。本当に仕方ないですね」

お二人と一緒に私は笑いこけた。冗談を言い、笑いを生み出し、闘いの日々の苦しさ辛さをまぎらわせてきた滋さんと早紀江さん。めぐみさんの弟の拓也さんも哲也さんも、その他の拉致被害者の家族の皆さん方も、希望を諦めないことで、心を保《も》たせてきた。拓也さんが語る。

「どんな形で拉致問題を解決するのか。私たちは北朝鮮に尋ねるのではなく、私たちが決めて、北朝鮮に要求すべきです。私たちの要求は拉致被害者全員の即時一括帰国です。これを安倍首相と共に実現する。その決意は揺らぎません」

政界で最も熱心に拉致問題解決に取り組んできたのが安倍晋三首相であり、政府は「オール日本」で取り組む構えだ。民主党政権3年3か月の拉致担当大臣は8人、一人平均5か月未満の人事とで民主党は一体、何を成し遂げようと考えたのか。安倍自民党は民主党とは対照的だった。家族会は安倍首相と共に、すべての拉致被害者の即時一括帰国という当然の要求を掲げ続ける。それを国民全員で支えていきたいものだ。

(2020年6月18日号)

【追記】

安倍晋三首相は健康を害し、2020年8月28日、退陣を表明し、菅義偉氏が後任となった。安倍氏は退任の思いを述べた中で拉致問題を解決できずに首相の座を退くことを「痛恨の極み」だと語った。さらに「ありとあらゆる可能性、さまざまなアプローチ、私も全力を尽くしてきたつもり」だとも語った。安倍氏の努力もあって、いま拉致問題は国際的に認知されることとなり、国連は拉致をテロ行為と断じて、北朝鮮への非難決議をした。それでも結果は出ていない。菅前首相は長年、安倍氏と共に拉致問題に取り組んできた政治家である。拉致犯罪国、北朝鮮との戦いはこれからも続く。だからこそ日本国民が拉致被害のことを忘れず、心を合わせてめぐみさんたち全員の救出を目指し続けることが大事である。滋さんのおだやかな笑顔を想い出しながら、私は忘れないことを誓いたい。

## 国恥を忘れるな、中国の暗い原動力

世界に武漢ウイルスを拡散させ、すでに43万人の命を奪っているにも拘わらず、中国政府も中国人も反省の姿勢を見せないどころか、いまや次の世界秩序を構築し、世界を主導するのは中国に他ならないと主張する。この横柄な態度はどこから生まれてくるのか。

右の疑問は日本だけでなく、多くの国々の多くの人々が抱いているに違いない。そうした問いに汪錚《ワンジョン》氏の著書『中国の歴史認識はどう作られたのか』（伊藤真訳、東洋経済新報社）が答えてくれる。

汪氏は、中国人は、この世の中の最も優れた民族は中華民族であると信じていると強調する。古来、中国が周囲の民族を東夷西戎南蛮北狄と呼び、蛮族ととらえてきたのは周知のとおりだ。中華民族は優れた文化・文明を有し、徳によって国を治めていると自負し、周囲を軽蔑してきた。中国は人種差別の色彩が濃い社会だと言ってよいだろう。しかし、同時に「蛮族」が中華の教えに従い、中華文明に染まり、中国人化するのであれば、中国は受け入れてきた。その点で中華民族は寛大であると、彼ら自身は考えている。

中国人の心理を理解するには彼らの誇りと愛国を支える三つの要素を知っておくべきだと、汪氏は言う。

①選民意識、②神話、③トラウマである。

①は、古代に遡る。古代中国人は、自分たちは世界の中心の聖なる土地に暮らす選ばれた民だと信じた。中国の哲学、習慣、文字などが近隣諸国に広まり「一種の師弟関係」を近隣諸国との間に結んだことで、中国文明の普遍性や優位性を強く確信するに至り、選民意識が深く根づいていったというのだ。

## 中国人のコンプレックス

選民である民族の物語は②の神話となって、これまた中国人の心に定着した。だがそれを打ち砕いたのがアヘン戦争以降「恥辱」の一世紀だった。③のトラウマである。

恥辱の一世紀は以下の6度にわたる戦争から成る。①第一次アヘン戦争（１８４０～42年）、②第二次アヘン戦争（56～60年）、③日清戦争（94～95年）、④義和団事件（１９００年）、⑤満州事変（31年）、⑥日中戦争（37～45年）である。

ここで日本人の私たちが注目すべきことは6度の戦争の内、4度までも日本が関わっていることだ。日清戦争でも義和団事件でも中国は無残に敗れた。日本が完璧に勝った。中国側は日中戦争には勝ったが、それは日本が米国に敗れた結果にすぎない。彼らはそのことでも誇りを傷つけられていると、汪氏は解説する。

汪氏の著書の帯には「なぜ日本人はかくも憎まれるのか？」と書かれており、第3章では蔣介石が日記に「私は倭（日本人ども）を滅ぼし国恥を雪《すす》ぐための方策を記すことにする」と繰り返し書きつけていたことが紹介されている。まさに中国人のトラウマは、自分たちよりも劣ると彼らが見做していた日本人との戦いに敗れたことから生まれたというのだ。その分、日本と日本人は格別に憎まれていると心得ておくのが正解なのである。また彼らの憎しみは、そのときどきの政治情勢によって蛇口を開閉され、いつでも必要な時に私たちを襲う。

中国社会の深部にこびりついている選民意識、中国の偉大さについての神話とそれを打ち砕かれたトラウマが複合して生まれた中国人のコンプレックスを知ることなしには、現在の中国人の行動や中国共産党政権の世界戦略を真に理解することはできない。

選ばれた民は誇り高い。習氏が２０１７年10月18日、中国共産党第19回全国人民代表大会（日本の国会に相当）で語った内容に代表されるように、中国は経済力をつけ、軍事力を強化し、世界の諸民族の中にそびえ立つべき存在だと、彼らは信じている。中国は世界の諸民族に価値観を教え、導くのであるから、尊敬され、称賛されるべき存在だと疑わない。従って、わずかな誹謗や批判も許容できない。

一例が中国政府の武漢ウイルスに関する当初の拙劣な対処や経済への影響を論じた米国の政治学者、ウォルター・ミード氏の「ウォール・ストリート・ジャーナル」（ＷＳＪ）紙の記事に「中国は真にアジアの病人だ」という見出しがついたことへの尋常ならざる怒りであろう。中国政府は感情のコントロールができないかのように、20年２月19日、ミード氏の記事とは何の関係もない北京駐在の同紙特派員３名の追放に踏み切った。

## 豪州国籍の男性に死刑

中国政府は１１００万人の住む都市、武漢を一夜にして封鎖し、一切の実情を報道させず、一応武漢ウイルスを他国に先がけて抑制したと誇る。彼らはその「実績」を掲げ、国際社会に中国の規範を示そうとする。

彼らはいまが勢力拡大の好機と見て、持てるすべての手段を駆使するのである。4月23日に豪州首相のモリソン氏が武漢ウイルスの発生源に関して国際社会は独立した調査を行うべきだと、私たちの側の論理では当然の主張を展開すると、中国は、5月12日、豪州産の農産物輸入規制で報復した。

6月5日、豪州で中国人への差別的言動が増加中として、国民に豪州への渡航自粛を促した。10日には広州市中級人民法院が薬物密輸の罪で起訴された豪州国籍の男性に死刑判決を下した。経済力だけでなく司法の力も彼らは自在に活用する。中国共産党は三権の上に君臨する超法規的存在であるため、何でもできる。無論、軍事力の効用も最大限活用中であることは、南シナ海や台湾海峡における中国軍の海と空での行動を見れば明らかだ。尖閣諸島に「海警」所属の事実上の軍艦4隻が常に侵入しているのも、彼らが力を信奉するからだ。

国際社会は中国を突き動かす力が「国恥」という言葉から生まれていることに思いを致せというのが汪氏の警告である。中国の子供たちは幼い頃から「勿忘国恥《ウーワングオチー》」(国恥を忘れることなかれ)という言葉を教え込まれる。

列強諸国、とりわけ日本にどんなに酷い目に遭わされたか、民族の恨みと憤りを教え込むのである。国恥への歯ぎしりが、中華民族は復興を遂げなければならないとの切望を生み出す力につながっている。

文革で毛沢東主義の過ちが判明し、東西の冷戦で共産主義のソ連が崩壊し、そこに生じたイデオロギーの空白を、中国共産党は埋めなければならなかった。共産主義社会の実現に替わる思想を見つけなければ共産党の存在意義は消滅する。空白を埋める新たな思想が、愛国主義、中華民族の偉大なる復興だった。愛国主義につながる「勿忘国恥」こそ中国共産党の生き残りを支えた言葉なのだ。

中国の強硬姿勢を抑制する力を多国間協力を通して強めることが、日本の生き残る道であろう。

（２０２０年6月25日号）

## 敵基地攻撃を可能に、政策転換を図れ

中国は水のように素早く「侵略の手」を伸ばす。水は低地に隈なく流れ込む。中国は弱い所に隈なく入り込む。米国が武漢ウイルス禍で混乱し、11月の大統領選挙を控えて動きが鈍い現在、中国の侵略の手は日本周辺でも大胆に動いている。その状況下の2020年6月15日、河野太郎防衛大臣が唐突に、「イージスアショアの配備計画を停止します」と発表した。

陸上配備型イージス・システム（イージスアショア）は日本がどうしても進めなければならない二正面作戦、中国及び北朝鮮の脅威への対処を充実させるためとして、17年12月に導入を決定したものだ。

秋田県秋田市と山口県萩市の陸上自衛隊の基地・演習場に配備すれば、日本列島全体を防護できる。イージスアショア2基で北朝鮮のミサイルを捕捉し、迎撃ミサイルも巡航ミサイルのトマホークも発射できる。強力な守りと、強力な反撃能力の双方を持てる、とされた。

さらに、イージスアショアによって北朝鮮のミサイルへの対応能力が整えば、手持ちのイージス艦7隻は南西諸島で尖閣、沖縄を脅かす中国用に振り向けることも可能になる。

同計画はしかし、河野氏の突然の判断で大幅修正に追い込まれた。計画変更の理由に、河野氏は年来の秋田、山口両県に対する説明と現実が異なることを挙げた。

万が一、敵のミサイル攻撃があり、イージスアショアから迎撃ミサイルを発射した場合、ミサイル本体は高く飛んで宇宙空間で敵ミサイルを破壊するが、途中で切り離されるブースター（第一段ロケット）が自衛隊の演習場内におさまらず、民有地に落下することが判明した。ブースターは必ず演習場内に落ちるため安心だ、と今まで地元に説明してきたが、それが事実でないことが判明したために停止する、というのだ。

元外務副大臣の佐藤正久氏が指摘した。

「北朝鮮から核攻撃を受ける危険、つまり何十万もの国民の命が危機に晒される危険と、ミサイルを打ち上げるブースター、1・8《メートル》程の空のタンクですが、これが落下してくる危険を同列に論じる点がそもそも間違いです」

## 歪んだ国防思想

この空タンクが民家を直撃する可能性はゼロではないが、限りなくゼロに近い。一方、北朝鮮の核は広島に落とされた核爆弾の10倍以上の殺傷能力を持つ。そうした強力な核兵器を運ぶ「スカッド」「ノドン」両ミサイルは日本全土を射程におさめている。北朝鮮の悪魔の攻撃を受ければ数十万人の命が奪われかねないのだ。

大きく異なる二つの危険性、ドンガラのブースターと核兵器を積んだミサイルを同レベルに置いて論ずる姿勢に、河野氏の恐らく骨身にまで浸透している日本独特の歪んだ国防思想がある。現実を見ることなしに希望的観測で判断する悪癖だ。政治家もメディアももっと現実に沿って考えなければならない。佐藤氏はさらに強調した。

「たとえば防衛省にはPAC3が配備されています。首都がミサイル攻撃を受ける場合、イージス艦などが宇宙空間で、つまり上層で迎撃できればよいのですが、撃ち逃がして地上に近い下層で迎撃する場合はPAC3が働きます。そのときに撃ち落としたミサイルの残骸などは東京の新宿区に落下する危険性が大きい。こういうことを正直に国民に言うべきです。その上でどんな態勢を作れば、『新宿区に残骸落下』などの事態を防げるのか、具体的に示すべきです。もっと広い用地を買収したり、海岸沿いに迎撃ミサイル基地用のスペースを確保するなど、国民被害最小化の手はあるのです」

一方で、自民党安全保障調査会会長で元防衛大臣の小野寺五典氏は、政府はイージスアショアの配備中止を決めたわけではないと語る。

「イージス・システムは現在も作っています。秋田、山口を代替できる適切な地があればそこに据えることも可能ですが、海上スペースも有力な候補です」

考えられるのは、①海上構造物に据えつける、②海上自衛隊のイージス艦に載せる、である。海上設置の場合と陸上設置の場合、同じイージス・システムでも仕様が異なるとの指摘があるが、システムを作っている現段階では、修正は可能だという。技術的に修正可能だとしても、日本にはもうひとつ、難題がある。自衛隊の疲弊である。とりわけ海上自衛隊は隊員も船も足りない。充足率94・5％で最重要の訓練日数さえ短縮につぐ短縮が起きている。

イージスアショアの導入にはそもそも海自の負担軽減という目的があった。いまその導入が否定されるとして、小野寺氏の指摘するように海上に設置、またはイージス艦にシステムを載せる場合、海自の現有勢力では難しいだろう。

## 「投資」感覚

河野氏の、どう見ても深く考えたとは思えない即断で日本列島全体の守りに穴を開けることになってはならない。そのためにまず政府は何としてでも国民・国土を守る決意を明確に示すことだ。侵略に毅然と対処する決意を強く打ち出すときだ。それが国防の穴を塞ぐ第一歩だ。その点で河野氏の発言は極めて不適切だ。氏はイージスアショア見直しについて「投資としても合理性がない。潔くやめよう」と語っている。これが国民の命を守る防衛大臣の言うことだろうか。

無論、予算の無駄遣いは許されないが、国防をカネの多寡で論ずることは愚かである。わが国の隣りには北朝鮮や中国がいて、ロシアが中国と共同で尖閣諸島海域でわが国の領土を奪うかのような動きに出ている。目的達成のために最終的に軍事力行使をためらわないこんな国々に囲まれている限り、損得勘定を超えて可能な限りの国防努力が必要だ。氏は防衛大臣として省内の売店のレジ袋中止やエコバッグ推奨に力を入れているそうだが、そんな小さなことに大臣が拘《こだわ》ってどうするのだ。もっと大局で考えよ。国土や国を奪われてしまえば終わりである。

防衛大臣なら「投資」感覚でイージスアショア配備停止を宣言するのでなく、その結果、ポッカリ開いてしまう国防の穴を具体的に埋める案を示す責任を果たせ。国民の生命にもっと真剣に向き合い、責任を持て。

6月に入ってトランプ大統領は9月までに独駐留米軍、9500人を削減して2万5000人に縮小するよう指示した。ドイツからの撤兵は米議会の強い反対で一旦見合わせることになったが、元駐独大使のグレネル氏は6月11日の「フィナンシャル・タイムズ」紙にこの決定は「アフガニスタン、シリア、イラク、韓国、日本など多くの国から米軍を撤退させるという枠の中でとらえるべきだ」と語っている。米国の大方針は変わらないということだ。

ここで明確に確認しておこう。日米安保条約は国際条約であり、責任ある国として米国も日本もきちんと守るだろう。だが中国に対処するには、日本自身、責任ある国として国防力を養わなければならない。その国家意志を示すためにも河野氏の言葉とは逆に、安倍晋三首相は国防予算を増やし、敵基地攻撃を可能にする新たな政策を提示することだ。

（２０２０年７月２日号）

**【追記】**

イージスアショアを巡る日本国内の議論は余りにも平和ボケしている。日本周辺の安全保障環境は非常に厳しい。言うまでもないが日本周辺諸国はおよそみな核保有国だ。とりわけ中国はランチャーと呼ばれるミサイル発射装置を４００基、核・非核両用のミサイルを２０００発、核弾頭を２００発持っている。米国国防長官の米議会への「中国の軍事力・安全保障の進展に関する年次報告書２０２０」によれば、中国は今後10年で核弾頭を倍増するとされる。

日本は大阪万博があった１９７０年からずっと全土が中国のミサイルの射程内に入っている。中国の核攻撃を受けるようなことがあれば、専守防衛の精神で動きの鈍い日本は攻撃を防げない。第一その手段がないに等しい。

北朝鮮の日本を狙うミサイルはノドンと呼ばれ射程１３００キロ、本州以西を射程内におさめる。彼らの保有する核は１００〜２００発とされる。北朝鮮が２０１７年に実験した核は広島を襲った核の10倍、160キロトン《キロトン》とされる。そのような核を仮に東京に使用されれば山手線内全てが廃虚になる。これは日本滅亡に等しい。

このような危険な状況の中に、わが国は「平和憲法」を掲げて裸で立っている。敵性ミサイルが発射される兆候などをいち早くとらえて対抗手段を準備するためのイージスアショアは河野太郎氏によって突然打ち切られた。その空白を埋めるためのひとつの方法は「敵基地攻撃」であるが、「敵基地」や「攻撃」という言葉に拒否反応を示して議論が進まない。だが敵基地攻撃能力は実は抑止力と同じ意味なのだ。相手の第二弾となる攻撃能力を失わせて相手がこれ以上ミサイルを撃てないようにする。それによって日本は攻撃を回避できるし、ミサイル防衛の成功率も高くなる。決して相手国に理不尽な被害を生じさせたり、侵略する能力を持つということではないのだ。

ここで日本の自画像を描いてみようではないか。気は優しくて力持ちの自画像だ。古事記に描き出された日本国の成り立ちの歴史には、他国の歴史にはない人間に対する清々しさが満ちている。同時に、わが国は他国の侵略にも自然災害にも雄々と立ち向かい、或いは耐えてきた。どんなことがあっても祖国と人々を守ってきた。そのための十分な力をもう一度、われらの手に取り戻そう。力持ちとなって初めて、国民国土を守れる国になる。発想の転換こそが大事である。

# 第2章　中国の暴走を止めるために

## 大平さんは「薬害エイズ」で闘い抜いた

長年の友、大平勝美さんが亡くなった。亡くなる2日前、氏を自宅に見舞ったとき、苦しそうではあったが明確な意志表示をして下さり、私は安堵した。大平さんが痛みを訴えた胸のあたりを優しくさすっていた女医さんがベッドサイドで語った。

「国立国際医療研究センターに入院していらしたとき、大平さんは痛み止めの薬は要らないと、拒否し続けました。薬で頭がボーッとすると、言い残しておかなければならないことがまだ沢山あるのに、言えなくなるからって……」

大平さんはエイズウイルス(HIV)に汚染された非加熱濃縮血液製剤(以下、非加熱製剤)を血友病治療薬として投与されて薬害エイズに感染した。

米国のCDC(疾病管理予防センター)は1983年3月、血友病患者のエイズは非加熱製剤が原因だと正式に発表し、製薬企業にウイルスを死滅させた加熱濃縮血液製剤(以下、加熱製剤)への転換を促した。

他方、日本での動きは極めて遅く、加熱製剤が承認されたのは85年7月になってからで、米国より2年4か月遅かった。しかも、加熱製剤承認後も業界大手のミドリ十字を中心に、製薬企業側は大量に在庫のあった非加熱製剤を優先して患者に使用させた。また、加熱製剤の開発が一番遅れていたミドリ十字に配慮する形で、加熱製剤承認に必要とされた治験が調整された。つまり、承認を遅らせたということだ。

結果、前述のように2年4か月が消費され、その間に多くの血友病患者がＨＩＶに感染した。国と製薬企業の責任を問うべく患者原告団が提訴したのは自然の流れだった。

提訴は89年10月27日、原告被害者67名・61家族は全員匿名という、日本の裁判史上初の事例だった。

## 自らに迫る危機

この原告患者の精神的支柱のひとつが大平さんだった。だが、最初から大平さんが裁判や、関係者の責任追及に熱心だったわけではない。彼は血友病という出血し易い病気を抱えてはいたが、穏やかで幸せな結婚生活を営んでいた。かねて妻と約束していた初めてのヨーロッパ旅行に出かけたのが83年4月。ＣＤＣが血友病患者のエイズの原因は非加熱製剤だと正式発表したが、日本の厚生行政は全く動かず、血友病専門医の多くも患者に非加熱製剤を投与し続けていた時期のことだった。

大平さんは旅行に出る前の健康診断で出血予防として非加熱製剤７５０単位を1本打たれた。旅行中は携帯が便利な非加熱製剤を使用するよう指示されて「22～23本持たされた」。大平さんは、これを毎日2回、出血予防のために打った。

それ以前の大平さんは、実はクリオプレシピテート、クリオと略称される血液製剤を使用していた。クリオは単独のドナーの血液から作られるために、肝炎ウイルスなど感染症の危険を防ぎやすかった。無論エイズに罹る危険性もなかった。他方、濃縮血液製剤は2000人から2万5000人にも上る不特定多数の、売血由来の血液成分をプールして製造したものだ。その分危険は、当然大きくなる。

妻と共に沢山の楽しい思い出を作って帰国した途端、氏は「アメリカ由来の非加熱製剤で感染の危険」「致死率極めて高い」「日本では血友病患者に感染の危険」などと報じた「毎日新聞」の記事を目にした。

「どうしよう、沢山使っちゃったよ」。大平さんは自らに迫る危機を恐れずにはいられなかった。不安が高まる中、同年6月、厚生省はエイズ研究班を設置し、安部英《たけし》氏が班長に就任した。

それから約2年後の85年夏、大平さんは帝京大学で副学長に昇進していた安部氏を訪ねた。安部氏は製薬企業5社、化血研、トラベノール、カッター、ヘキスト、ミドリ十字で加熱製剤の治験代表世話人を務めていた。

大平さんが安部氏に質したかった重要点はひとつだった。米国より大幅な遅れで日本は全社同時、85年7月にようやく加熱製剤を承認した。なぜ開発の早い順に承認してもらえなかったのかとの問いは安部氏の責任追及でもあった。

安部氏訪問のひと月ほど前に、大平さんは化血研を訪ねている。化血研側は大平さんに「実はもっと早く加熱製剤を供給したかったが、開発の遅れていたミドリ十字に合わせるために遅くなった」と語っている。トラベノール、ヘキストの両社も加熱製剤供給に向けての準備が進んでいた。

ミドリ十字以外の社の状況を踏まえ、大平さんはズバリ安部氏に問うた。「トラベノールなどはもっと早く加熱製剤を供給できたのに」と。

安部氏はしかし、自らの責任を認めることはなかった。そして言った。「だから君たちとは会うのがいやなんだ」。

大平さんを含む被害患者が国と製薬企業5社を提訴したのは、それから更に4年余り後のことだ。

## 賢い患者

右の訴訟とは別に、薬害エイズ事件に関連して安部氏は業務上過失致死罪で刑事告訴され、一審で無罪を勝ち取り、控訴審中に死去した。

他方、安部氏は名誉毀損で、私及び毎日新聞を訴えたが、いずれも最高裁で安部氏敗訴が確定している。

薬害エイズ事件に関して司法の場で展開された闘いのいずれにおいても、大平さんの存在は大きかった。彼は果敢に問題提起し、詳細な証言を残した。厚生省、製薬企業、安部氏を筆頭に多くの専門医と真剣にわたり合った。とりわけ厚生省の血液行政に関しては、最後まで外国由来の売血に頼る日本の現状に警鐘を鳴らした。米国で非加熱製剤が使われなくなった83年以降、米国は日本向けに売血由来の非加熱製剤をつくり続け、わが国は買い続け、悲劇が起きた。そのような事態を放置してはならず、日本国民の使う血液製剤は国内血で賄えというのは正論である。

全国の患者さんに対しては、一人一人の状況を「わが事」と受けとめ親身に助言した。持てる情報全てを、仲間の患者に教え、賢い患者になることの重要性を説いた。世の偏見に打ちひしがれる患者には、闘う勇気を失ってはいけないと元気づけた。

大平さんと最後に食事をしたのは２０１９年の12月23日だった。例年春や夏に我が家で手料理を囲んでいたのが年の暮れになった。気ぜわしいが、年をまたぐ前にとにかく会おうと決めて例年のように我が家に集った。九州から加わった人もいた。帰りしなに大平さんが笑って言った。

「今日はタイ風カレーを期待してたのに！」

暮れのことで、私は時間のかかる料理を避けたのだ。

「ああ！　ごめんなさいね。次はきっちりタイ風カレーでいこうね」

私たちは笑って別れた。そしていま、今生での本当の別れが来た。

大平さんは入院中、厚労省の会議にリモートで2時間参加したという。最後まで闘って燃え尽きた。立派で心優しい友人を、私は忘れまい。

（２０２０年7月9日号）

# 真の独立国になれ、ボルトンの警告

毎週金曜日の午前中、シンクタンク「国家基本問題研究所」の研究会がある。学者や研究者、ジャーナリストが集い、幅広く意見交換をするが、このところの話題のひとつがジョン・ボルトン氏の回顧録『それが起きた部屋』（以下『起きた部屋』）だった。氏は1年と5か月、トランプ米大統領の国家安全保障問題担当補佐官を務め、２０１９年9月に大統領と仲違いして辞任した。

『起きた部屋』を、国基研研究員の福井県立大学教授、島田洋一氏は早々とキンドルで読んでいた。約６００頁にも上る大著をキンドルで読むのは流石に疲れる。私は紙の本を待って、実物を手にして読み始めた。

すでに「ニューヨークタイムズ」紙をはじめ米国や欧州の主要紙誌が書評を書いているが、概してトランプ大統領に対して厳しい。ボルトン氏自身が「彼（トランプ）は大統領に適していない。その責務を果たす能力に欠けている」などと批判した上に、同書はトランプ再選を阻止するために書いたと明言している。内容が厳しいのは当然なのであろう。

『起きた部屋』では微に入り細をうがってトランプ氏が会った多くの首脳、多くの場面が描かれている。ボルトン氏の几帳面な性格を反映してか、必要以上とも思われる詳細な記述に満ちており、どの段落にも反トランプの気持ちが詰まっている。ここまで現役大統領の発言を暴露してしまってよいとは私は思わない。米国の国益に反するだろう。お喋り好きの大統領もまさかこんな形で発言が表沙汰にされるとは想定していなかったことだろう。そう考える一方で、この本はトランプ外交を理解するために、時間をかけてじっくり読むべき貴重な記録だとも思う。

米国大統領は世界最強国の指導者であり、好むと好まざるとに拘わらず、世界秩序の維持に大きな責任を負う。あらゆる情報を頭に入れ、世界の動きを把握していなければその責任は果たせない。とりわけ中国が力をつけ、公然と覇権確立に動いている現在、自由主義陣営の為に米国大統領には賢明であってほしい。

## ときどきの直感、アドリブ

米国大統領は、毎朝米国の持つトップクラスのインテリジェンス情報の説明を受けるのが通常の在り方だ。次期米国大統領に選ばれた時から、実際にホワイトハウス入りするまでの2か月余り、新大統領は特別の進講を受けるのが米国の慣わしである。

トランプ氏は、しかし、16年11月に大統領に当選した後、中央情報局（CIA）をはじめとするインテリジェンス部門の進講を殆ど受け付けなかった。ホワイトハウス入りしてからも、精々週2回程しか情報説明を受けないという。また進講の時間の殆どをトランプ氏自身が喋るために、米国の持てる機密情報も重要情報も、大統領が当然知っておくべき情報も中々伝わらないとボルトン氏は書いている。

トランプ氏とは多くの点で正反対なのがジョージ・ブッシュ（子）元大統領だ。彼は8年間、幾度か例外はあったが、早朝に起床し、ジョギングし、身支度を整えてから聖書を読んだ。7時少し前にはホワイトハウスの居住棟から大統領執務室に入り、真っ先に、その日のインテリジェンスリポートに耳を傾けた。彼はこの規則正しい習慣をホワイトハウス時代を通して守ったと、自身の回顧録に書いている。正午頃になってようやく執務室に姿を現わすトランプ氏とは生活スタイルが随分異なるのだ。

ちなみに回顧録を通して見るブッシュ氏の人間像は非常にあたたか味があり正義心の強い人だということが伝わってくる。大統領選挙の最中、相手候補らと共に討論会を行い、そのとき司会から、「最も感銘を受けた本は？」ときかれ、「聖書」と答えている。聖書を読むことでキリスト教徒として如何に生きるべきかということを自分の心にしっかりと確立できたというのである。アドバイザーの助言に耳を傾け、分かり易い道徳律を身につけていたブッシュ氏と比べて、トランプ氏の言動はボルトン氏の指摘するように確かに予測がつきにくい。

トランプ氏の政策はおよそ全て、戦略に則るというより、そのときどきの直感、アドリブで打ち出される、外交においても同様だとして、ボルトン氏は以下のように書いている。

18年12月1日、アルゼンチンの首都ブエノスアイレスで20か国による首脳会合（G20）が開かれ、トランプ・習近平会談も持たれた。米国側は関税を引き上げるか否かを材料に、知的財産の窃盗や強制的な技術移転など、許されざる中国式手法の改革、つまり構造改革に関して明確な釘を中国側に打ち込みたかった。

しかし、習近平氏は一枚も二枚も上手だったと、ボルトン氏は書いている。氏はまずトランプ氏にお追従を言った。「大統領とあと6年一緒に働きたいですね」と。

するとトランプ氏はこう答えたそうだ。大統領の任期二期制は自分に限り撤廃されるよう、憲法を改正すべきだと人々が言っていると。

習氏はその場ではそれ以上何も言わなかった。しかしブエノスアイレスでの会談を終えて暫く過ぎた12月29日、習氏がトランプ氏に電話をかけてきて言った。

「中国はトランプ氏の憲法改正と3期目の任期を切望している」

## 日本にとって厳しい時代

それにしてもなぜこんな発言が、ブエノスアイレスの首脳会談からかなりの日数がすぎた段階で習氏の口から出てきたのか。習氏の外交を理解する上で重要な鍵になるのが、ボルトン氏の次の指摘だ。つまり、会談では習氏は最初から最後まで目の前に置いた資料を見ながら話したというのだ。トランプ氏との会談中、習氏はいつも紙を読んでいた。アドリブなどひとつもない。全てが計算された戦略、戦術に沿っての発言だ。

だからこそ思いがけないトランプ氏の自己愛発露の発言があっても、その場では全く何の反応も見せずに、帰国後、トランプ発言を詳細に分析した上で、反応を示したのだ。それが、電話会談での改憲と三選話であろう。

中国が考え抜いたお追従がどれだけの効果をもたらしたかは定かではない。ボルトン氏はブエノスアイレスでのトランプ氏に非常に厳しいのだが、トランプ氏の対中外交を仔細に見ると、これまでの米大統領とは一味違うしたたかな交渉を展開していると指摘するのは前出の島田洋一氏である。習氏との会談は、事前に練り上げた中国の戦略・戦術対トランプ氏の思い付きと直感のように見えるが、ブエノスアイレスでの首脳会談の終わり近くになって、トランプ氏は対中強硬派として知られるライトハイザー通商代表に「言い忘れたことはないか」と発言を促した。ライトハイザー氏は待っていましたとばかりに語り始め、習氏が会談で強く求めていた対中懲罰関税撤廃の提案を切り刻んだというのだ。トランプ氏は対中強硬派のライトハイザー氏に中国の意図を徹底的に挫く発言をさせたのみならず、以降の対中交渉の責任者に、氏をその場で任命した。

このブエノスアイレスでの会談の約2か月前には、米有力シンクタンクのハドソン研究所でペンス副大統領が1時間にわたって演説した。ペンス演説は中国に対する強烈な不満と、米国が断じて中国流の横暴外交、知的財産の窃盗、少数民族弾圧、国民の自由を奪う政策などを受け入れないという決意を語ったものだ。このペンス演説を、トランプ氏は一行一行じっくりと読んで了承したと、ボルトン氏は書いている。つまり、トランプ氏の対中外交は気紛れのように見えるが、中国に宥和的姿勢はとらないという点で一貫しているということだ。

11月の米大統領選挙の行方は現時点では分からない。ただひとつ明らかなのは、日本にとって厳しい時代がやってくることだ。米中の対立は深まり、中国が武漢ウイルスを真っ先に鎮めた国として世界により強い影響力を行使すべく、これまで以上に攻勢を強めるのは確実だ。トランプ氏は安倍晋三首相に絶大な信頼と友情を抱いているが、日米安保条約の不平等性には大きな不満を抱いている。米国が日本の鉾であり続けるかは日本次第だ。私たちは、自国を自力で守る体制を整備しなければ大変なことになる。それが『起きた部屋』の対日警告だろう。

（2020年7月16日号）

## 【追記】

習近平氏について安倍晋三元首相から伺ったことを想い出している。安倍元首相は複数回習氏に会っているが、およそどんな時も習氏は必ず定型文で話すというのだ。ここで取り上げたブエノスアイレスでの米中首脳会談のとき、トランプ氏に対してそうであったように、安倍氏に対しても必ず、テーブルに置かれた書類に目を落としながら読み上げる。多国間の会議でたまたまロビーなどで出会ったときも常套文を一字一句違わず繰り返すそうだ。党内政治がそれだけ厳しくどんな小さなさざ波もおこせないということであろう。だから、本文でも触れたようにトランプ氏が大統領の任期について自分は例外として3期目も期待されていると語ったとき、即座にコメントできなかったのだ。持ち帰って共産党内でトランプ発言とその背景を分析して、党としての対応を決めてようやく発言できたということではないか。

中国が大国で、その頂点に立つ習近平氏の存在が大きいことは十分に認めなければならない。しかし自由な発想や幅広い視点から生まれる柔軟なる強さという点で、習氏や中国共産党の実力はどうなのか。自由で幅広い視野を是とする文化圏にいる私たち日本人は、中国に対してももっと自信を持ってよいのだ。個々の人間の自由な発想を尊重する私たちの側が必ず勝つと、私は思っている。

## 嘘と力で押し切る中国の「戦狼外交」

中国共産党は「国家安全維持法」（以下、国安法）で、本来ならあと27年間は続くはずの香港の民主主義体制を突然終わらせた。その国安法は、異常なプロセスを経て導入された。通常は2か月に一度開催される全人代常務委員会が半月の間に二度開かれた。同法は２０２０年６月30日深夜に決定され、１時間後の７月１日午前０時に施行されたのである。

慌しい動きの背景には、６月16、17の両日に行われた、ハワイにおける米中外交会談の決裂がある。米国側は香港、台湾、ウイグル問題で中国の強権弾圧と人権蹂躙を厳しく責めた。その直後会談後、中国外務省は米国に先んじて記者会見を開き、紋切り型の主張を展開した。その直後に配信された中国共産党の海外向け機関紙「グローバルタイムス」は、社説で中国側の悲観的見方を吐露している。

「中米両国が関係を断ち切ることはないと思われる」「しかし合意は困難」「米国は新冷戦や両国関係の切り離しを煽っている」と、非難したのだが、そこには米国が対中姿勢を緩和することへの期待はほぼ見られない。米国が中国に対して譲歩しないと見極めたその時点で中国側は香港への強権発動を決断したと思われる。

対照的に米国は会見で鋭い中国批判を発信した。スティルウェル国務次官補が中国側は「前向きではない」「一方的で非現実的」「戦狼外交」だなどと言い切った。

氏はまた、世界が武漢ウイルス禍で苦しむ中、元凶である中国が勢力拡大を進めているとし、中国の外交姿勢を手厳しく攻撃した。

私は氏が言及した14年の中国外交に注目せざるを得なかった。その年、習近平国家主席が就任後初めてインドを訪問したのだが、訪問に合わせて人民解放軍（ＰＬＡ）が中印国境の紛争地帯にそれまでになかったほど深く侵攻し、またそれまでになかったほど長期間占領したと、スティルウェル氏は語ったのだ。

「鼻にパンチを食らわせて中国の優位性を思い知らせる戦術か、本当のところは分からない」とスティルウェル氏は結んだが、中国の攻勢の背後には勝手に歴史を作り上げる嘘つき国家の姿がある。その意味で私はつい、10年12月の温家宝首相の訪印を連想した。あの時も中国側は強烈なパンチを繰り出した。

## インドに攻め入る

インド北東部のアルナチャル・プラデシュ州は広さおよそ8万平方㌔、ヒマラヤ山系の上質な水が豊かに流れ込むインド随一の水源の州だ。同州を中国は自国領だと主張し、これまた中国がチベット人から奪って勝手にチベット自治区とした行政区に編入してしまった。

中国がチベット自治区に編入したこのアルナチャル・プラデシュ州に、温氏訪印に合わせて中国軍工兵隊がトンネルを貫通させたのである。ヒマラヤ山系の下に掘られたトンネルは、有事の際、人民解放軍の戦車を最高速度で走らせるのに十分な幅と強度を備えている。トンネル完成で、人民解放軍はいつでもインドに攻め入ることができるようになったわけだ。中国は首相による外交で平和的な話し合いの形を見せつけながら、戦略上重要な意味を持つトンネルの完成を温氏訪印にぶつけたのである。

同じく胡錦濤主席も裏表の顔の落差を思い切り広げた形で訪印した。温家宝訪印の約４年前のことだ。インドの戦略研究家、ブラーマ・チェラニー氏の説明だ。

「中国側は胡主席訪印の06年に、それまで休止していたアルナチャル・プラデシュ州の領有権問題を公然と持ち出したのです」

中印国境はネパールとブータンを挟む形で、東西３３００キロ余りに達する。ほぼ全域がヒマラヤ山脈を構成する高山地帯だ。国境をめぐって両国は常に争ってきた。１９５９年から62年までの中印紛争ではまさに軍と軍がぶつかった。中国軍が圧倒的優勢で戦いを展開し、国境線を破り遂にジャンム・カシミール州のアクサイチンを奪い取った。ここはいま、中国が実効支配を続けている。

インドは常に中国に騙されてきた。おまけに、軍事的にもやられてきた。ネルー首相と周恩来首相が会談し、中印両国が平和五原則を打ち立てた54年、ネルーは友好の印として両国を隔てるヒマラヤ山系の地図を周恩来に贈った。地図は国家機密だ。詳細な地形と建造物、その場所と形状は、相手国攻略に必須の知識だ。周恩来は喜んで受け取り、両国の友好を誓った。だが59年にインドに攻め入ったとき、人民解放軍はネルーの贈った地図を存分に活用したのである。

チェラニー氏が指摘する。

「06年に中国がまたもやアルナチャル・プラデシュの領有権を主張し始めたとき、彼らが使ったロジックは噴飯物でした。17世紀にダライ・ラマ6世がアルナチャル・プラデシュ州のタワンという地区に生まれた、従ってアルナチャルはチベットのものだ。チベットは中国の一部であるから、アルナチャルも中国領だというのです」

そのような理屈を使えば、ダライ・ラマ4世は1589年にモンゴルで生まれたためにモンゴルは中国領だということになる。こんな無茶苦茶はどの世界でも通用しない。加えて、ダライ・ラマ法王は、歴史上、アルナチャルは一度もチベットの一部であったことはないと語っている。

## 恥辱の歴史への恨み

習近平、温家宝、胡錦濤と、中国歴代の主席や首相の外交を振りかえると常に脅しと騙しの混合スタイルであることに気付く。こんな悪い癖をもつ中国が、いま、米国に公然と挑戦している。それがスティルウェル氏の言う「戦狼外交」であろう。

戦狼外交の定義ははっきりしないが、王毅外相が国際社会における中国の国益と評価を高めよ、積極攻勢に出よと指示を出したのは、武漢ウイルス発生とほぼ同時期だった。

「おそらく米軍が疫病を武漢に持ち込んだ」とツイッターで発信した中国外務省の趙立堅副報道局長をはじめ、4月12日に在仏中国大使館が公式サイトで、フランスの高齢者施設の職員が職場放棄し「入居者らを飢えと病気で死なせた」と非難するなど、中国の強硬論が溢れた。

なぜ、無理筋の強硬論が発信されるのか。米クレアモント・マッケナ大学教授、ミンシン・ペイ氏は、中国人の歴史に対する恨みと自己イメージの誇大妄想化が背後にあると見ている。前者は「恥辱の一世紀」「勿忘国恥」（国恥を忘れることなかれ）などの言葉に象徴される歴史認識であり、清朝が欧米列強及び日本に蹂躙されたことへの恨みである（59頁参照）。後者は中華民族は世界諸民族の中にそびえ立つと豪語する習氏に、あらゆる人々がへつらうところから生じる自己肥大化現象だとペイ氏は指摘する。

恥辱の歴史への恨みから生まれるナショナリズムと、中華民族こそ世界に君臨すべき優れた存在だとの強烈な自意識は、いかなる批判も受け付けない。撥ねつけ反撃し、戦狼外交の波が起きる。政治家、財界、国民全員は、その中国に筋の通った厳しい姿勢で接しなければならない。一瞬の隙、心にもない微笑、卑屈な友好は、固く禁ずべきだ。

（２０２０年7月23日号）

## 日本の好機、米国の対中対決姿勢

「ヒマラヤ山系からベトナムの排他的水域、尖閣諸島とその先まで、北京は領土領海紛争を煽動している。世界は中国の弱い者苛めを受け入れない、その継続も許さない」

2020年7月8日、ポンペオ米国務長官はこのように発言した。それは、世界の屋根から南の海まで、ユーラシア大陸をグルリと囲む全域で、米国は中国の専横を許さないという宣言だった。

米国は長年、領土領海紛争では中立の立場を貫いてきた。尖閣諸島が明らかに日本領であることを承知していながら――日本占領時代だけでなく実に1978年まで、米軍は尖閣諸島の内の久場島と大正島で軍事訓練を行っていた――米政府は尖閣諸島の施政権を日中どちらが有しているかに注目するばかりで、決して同諸島が日本領だとは言明しなかった。

しかしポンペオ氏の発言は米国政府が、年来の方針を大転回させたことを示している。茂木敏充外相が即、歓迎を表明したのは当然だ。米国の方針大転回の新局面で、日本も世界も大急ぎで新たな対応策を講じるのがよい。

米国の方針が明確に変わったことの証拠に、ポンペオ氏はその後の13日、15日にも続けて中国への全面的対決姿勢を明らかにした。氏はこう語っている。

「大事な事は、米中関係が変わったということだ。中国の指導層もそのことを理解している」（15日）

氏は、米国民が中国リスクに晒されるのはもはや受け入れられない、余りにも長い間、適正な見返りのない、不公正な中国の行動を米国は許容してきた、だから今、全てを反転させるときだとし、こう語った。

「実務において多くの仕事はこれからだ。トランプ政権の2年半は年来の米中関係反転の政策を積み重ねてきた年月だった」

巻き返すには多くのことをしなければ間に合わないと言っているのである。そして米国は私たちの眼前で具体的に動き出した。

7月1日から中国が空母遼寧を中心に軍艦数隻を投入して大規模な軍事演習を南シナ海、東シナ海、黄海の3海域で行った。すると、米国が中国の演習と重なるように、7月4日から空母2隻及び攻撃艦を揃えて大規模演習を実行した。中国の軍事行動を見逃したり、勝手な振舞いを許したりはしないとの意思表示であり、米国の本気度を示すものだ。

### 「最終判決」

ポンペオ氏が7月8、13、15日と続けて対中政策で厳しい発言を重ねれば、呼応して他の閣僚たちも同様の発言を続けた。米国の決意の固さが読みとれる。

6月24日にはロバート・オブライエン国家安全保障担当大統領補佐官、7月7日にはクリストファー・レイＦＢＩ（米連邦捜査局）長官、16日にはウィリアム・バー司法長官らが続けざまに発信した。
中国に対する強い異議は、中国問題が国際社会全体に広がることへの警戒である。香港やウイグルの問題に、中国が主張するように国内問題であるから介入しないという姿勢で対処すれば、西側諸国も中国の悪しき体質に変えられてしまいかねない。そのことを、ポンペオ氏らは十分に識っているのだ。

たとえば南シナ海問題だ。中国は「長い歴史」を持ち出して２０００年前から同海は中国の海だったと説く。ポンペオ氏は２０１６年7月12日の国際常設仲裁裁判所の判決こそ国際法に則った「法的拘束力」のある「最終判決」だと明言した。中国の主張する「九段線」にも一貫した法的根拠はないと強調した。「中国は国際法を『力が正義』という定理に置き換える」と喝破し、それらは「完全なる違法行為」だと非難した。その上で南シナ海の島々の固有名をあげて次のように主張した。

スカボロー礁、スプラトリー諸島、ミスチーフ礁、第二トーマス礁は全てフィリピンの主権に属す。パラセル諸島のヴァンガード堆はベトナム領、ルコニア礁はマレーシア領、ナツナ諸島はインドネシア領、ブルネイも排他的経済水域を有する。

ジェームズ礁は中国が領土だと主張するが、満潮時には20メートルもの水面下になる。中国の領土でも島でもあり得ない。米国は東南アジアの同盟国、パートナーと共に、国際法に基づいて彼らの領海及び海洋資源を守る側に立つ、と。

目のさめるような力強い発言だ。なんという変化か。ポンペオ発言の重要性、日本に及ぼす限りない前向きの影響を、見逃す手はない。最大の好機ととらえ、対応してわが国の守りを強固にするのだ。

バー司法長官の中国認識の厳しさもよく知っておこう。「中国はウィン・ウィンの関係を築こうと言う。（当初我々は言葉どおり、互恵の精神だと受けとめていたが）それは中国が二度勝つという意味だと判明した」

実に的を射ているではないか。なぜ、中国は「二度」勝つのか。中国式手法を米国にも広げて、米国をも「接収」してしまうつもりだからだ。

## ハリウッドの接収

バー氏は「中国に叩頭する」企業のひとつとしてハリウッドの映画会社を挙げた。ハリウッドは近年、中国資本が入るようになり、現在は技術部門をはじめおよそ全分野で中国人を受け入れている。中国人は米国が世界に誇る映画産業のノウハウの全てを吸収し、中国国内で活用中だ。中国の目標はハリウッドとの協力関係強化ではなく、ハリウッドの接収だとバー氏は断ずる。人間のあらゆる自由を尊び、権力への果敢な批判を売り物にしてきたハリウッドの中国支配への恭順振りこそ、卑屈だと氏は言っているのだ。

この間にボリス・ジョンソン英首相は27年までに全てのファーウェイ製品を5G通信網から排除すると決定した。中国側は強い不満を表明し、駐英中国大使の劉暁明氏が7月18日、「タイムズ」紙の取材に応じた。中国は平和の国だ、全ての国に友好的だと一連の嘘をいつものように披露し、英国は25年までに5G通信網を全国に広げる計画だが、英国の力では難しい、だから中国は助力したいと申し出た。その一方で英国がファーウェイ除外を決定したからには、中国の対英投資はもはやあり得ない、状況は変わったと述べた。中国の投資なしでやっていけるのかと、足下を見透かした発言である。

事実、同月19日には早速中国の動画投稿アプリ「ＴｉｋＴｏｋ」を手掛けるバイトダンスが、ロンドンへの拠点設置計画を棚上げした。

日本は何をすべきか。いま、自らの立ち位置を明確に認識して戦略的に動かずしてどうするのだ。英国政府は日本に５Ｇ通信網づくりで協力を求めている。ファーウェイに代わる調達先としてＮＥＣや富士通の名前が上がった。日本企業は周回遅れだが、ポンペオ氏はＮＴＴを５Ｇ関係の技術を有する世界企業の中でもクリーンな企業の内のひとつだと評価した。

わが国が直面する中国の脅威は５Ｇだけでも尖閣諸島だけでもない。南鳥島にも中国は迫っている。米国の側に立ち、日米で力を合わせることが日本の国益につながる。日本は米国に対して行動を伴う協力を進めるときだ。そうした行動があって初めて日本の国益を守ることができる。

（２０２０年7月30日号）

## もっと危機感を、逆ニクソン・ショック

２０２０年7月24日、米国政府がテキサス州ヒューストンの中国総領事館を閉鎖すると、27日には中国政府が四川省成都の米国総領事館閉鎖で応じた。

ヒューストンの中国総領事館は夜を徹して秘密書類などを燃やした結果、火災を引き起こし、放水する事態となった。同総領事館を米国における中国のスパイ活動の拠点だと断じたポンペオ米国務長官の言葉が真実味を帯びた事件だった。

米中が在外公館を閉鎖するという異例の措置を取り合い、対立を深める中で、両国に挟まれている日本は否応なく運命の岐路に立たされる。急変する米中関係は日本の命運を決する一大事だ。正しく対応しなければ未来永劫、わが国の国柄も国益も守れない。そのことをどこまで認識しているのか。わが国のメディア、政界、世論のなんと静かなことか。

約半世紀前、１９７１年の「ニクソン・ショック」のとき、日本国中が大騒ぎした。ニクソン大統領はベトナム戦争に最も深く関わっていたジョンソン前政権を厳しく批判し、ベトナム問題解決のプロセスの中で対中関係を改善し、米国が最大の脅威ととらえていた旧ソビエト連邦に対する切り札として中国を活用した（田久保忠衛『ニクソンと対中国外交』筑摩書房）。

それまで全く国交のなかった中国を、ニクソン大統領が翌72年春までに訪問するとの発表がわ

が国にもたらされたのは、発表3分前のことだった。そこから怒濤の報道が始まり、やがて佐藤栄作首相は退陣し、田中角栄首相、大平正芳外相による性急な訪中と国交樹立に至ったのは周知のとおりだ。

当時、日本全体を包んだ底の浅い狂乱報道がよいとは言わないが、現在の奇妙で静かな反応に私は不安を覚える。それは日本が現状維持を基調とする最も安易な、しかし中・長期的に見て、確実に間違った方向を目指している兆候に思えてならないからだ。

前項で、地球社会が価値観の対立の真っ只中にあることを指摘した。ニクソンは半世紀前、中国を国際社会に誘い開放させたときにいみじくも語ったという。

「我々は怪物フランケンシュタインを作り出したのではないか」と。

## 中国共産党を「信ずるな」

以降の対中関与政策で、米国は中華人民共和国70年余の歴史の内、50年間も彼らを助けてきたことになる。そしてニクソンの恐れたフランケンシュタインを作り出したと、ポンペオ国務長官は言っているのである。

7月23日、ポンペオ氏はニクソン大統領記念図書館で演説したが、その演説はニクソン以来の対中政策の大反転をはかるもので、「信ずるな、そして検証せよ」という一言に凝縮されている。レーガン大統領はかつてソ連との交渉で「信頼せよ、しかし検証せよ」と言った。いま米国は中国共産党（CCP）を「信ずるな」と断じている。

ニクソン大統領はベトナム戦争を終わらせ、ソ連と対峙するために中国と関係を築いたが、中国を信頼していたわけではなかった。その証拠に中国との国交樹立は行っていない。米中が国交を樹立したのはカーター政権であり、1979年1月のことだった。

中国を国際社会に招き入れながらも、あくまでも慎重だったニクソン氏の時代を経て、米国は中国が共産主義の国だという事実に目をつぶり、豊かになれば米国と同じような開かれた民主主義国になると信じ始めるのだ。イデオロギーの相違を過小評価し、モラルも含めて共産主義国の中国を見る米国の目がいかに間違っていたかについて、ポンペオ氏は強調している。

「自分は冷戦時を陸軍で過ごした。ひとつ学んだのは共産主義者はいつも嘘をつくということだ。CCPの一番の大嘘は、彼らが14億の国民を代表しているという点だ。現実には国民は監視され、弾圧され、自由に発言することを恐れている。（嘘で固まった）CCPはどの敵よりも人民の正直な声を恐れている」

いま米政権はCCPと中国人民を明確に区別して外交を進めており、ポンペオ氏は「中国国民はCCPとは異なり、自由を愛するダイナミックな人々だ」と賞賛する。

強硬手段だけで米国の望む結果が達成できるはずはないとの考えに基づいて、米国は自由を愛する中国国民と協力し、彼らに力を与えたいと言うのである。

演説後の質疑応答で、ニクソン大統領記念図書館館長でニクソン研究の第一人者であるヒュー・ヒューイット氏が、中国の国民とCCPを分けるのは、恰も二つの中国があるかのようだ。この構図の中では外交は機能しないのではないか。むしろ外交が失敗することを目指しているのではないかと尋ねた。私はドキッとした。米国は中国国民を支援してCCPを打倒させようとしているのかという問いにも聞こえたからだ。

ポンペオ氏は、ＣＣＰが唯一の党であるからには米国はＣＣＰと交渉するが、同時に中国国民の声を無視することはできない、と答えた。米国は中国共産党潰し、レジームチェンジを視野に入れているとしか考えられないと、私は思う。

## 日本の国益か否か

間違いないのは、米国が、ニクソン以降初めて、中国の共産主義イデオロギーに真剣な懸念を抱き始めたということだ。中国人民解放軍（ＰＬＡ）は中国国民ではなくＣＣＰを守る軍隊で、中国の全ての組織も企業もＣＣＰのために働く機関にすぎないことに気付いたのである。

中国の国営企業は、利益を度外視してＣＣＰの戦略で動く。その結果、自由競争を原則とする米国など西側企業に対しては有利な競争を展開できる。中国人学生も研究者もＣＣＰの先兵となり、米国の知的財産、研究成果を盗み続ける。こうしたことが現実に横行していることを認め、米国は問うている。なぜ中国の悪行を長い年月許してきたのか、と。中国が引き摺り続けている共産主義の、西側体制への強い敵対感情に無知であったこと、冷戦における勝利が生んだ慢心、強欲な資本主義、中国の巧みな「平和的台頭」話に目眩ましを食らったことなどを、ポンペオ氏は原因として挙げている。だが日本の私たちこそ考えてみよう。中国共産党政権の政策、中国共産党支配下のおよそ全ての中国企業に関する無知、慢心、強欲、目眩ましが、わが国、とりわけ経済界にこそ当てはまるではないか、と。

ポンペオ氏はこうも問うている。「我々の精神は望んでいても、我々の肉体は弱いのではないか」と。ＣＣＰとの戦いは容易ではない。経済的利益に目をつぶってでも、価値観に基づいて正しい道を歩まなければならない。それは非常に困難な道であり、財界をはじめとする人々が最もいやがる道である。しかし、私たちはいま、中・長期的な視点に立って国益を考えなければならない。マルクス・レーニン主義の中国を変えるには、彼らの言葉ではなく行動を見て、「行動対行動」の原則で対処するしかない。先述の「信ずるな、そして検証せよ」の心構えこそ、私たち日本が持つべき構えだ。

この、世紀の危機の前で日本は大事な決断を迫られている。米国か中国かの問いへの答えは明らかだ。米国と共に歩んでこそ、日本の国益である。中国と共に歩む道はあり得ない。尖閣問題を見よ、歴史問題を見よ。米国との協調を密にし、日本の力をあらゆる意味で強化し、国民全員が問題を意識しなければ日本の次の世代、そのまた次の世代は何もかも中国に仕切られる世代になってしまう。私たちは歴史的に見て中華世界の支配を回避して、立派に日本の道を歩んできた民族だ。その歴史を改めて心に刻もう。

（2020年8月6日号）

# 対中価値観の闘い、日本も覚悟を

２０２０年8月3日、産経新聞が朝刊一面トップで「中国、尖閣に漁船団予告」「16日の休漁明けにも」という記事を報じた。

孫子の国の中国が侵略を前もって予告するとは思えない。孫子の教えの基本は相手を巧みに騙すことにある。事実、彼らの成功体験の数々は中国らしい「汚い」やり方ゆえに可能だった。

現在の中国の行動が、彼らの手法を示している。第一、彼らは相手の隙を突く。国際社会が武漢ウイルスで大混乱を来たし、対応に注意と力をとられている間に、中国は香港を陥《お》とした。歴代主席の誰も成し遂げられなかった香港共産化を、習近平氏は、予定より27年も早く成し遂げようとしている。

わが国の尖閣諸島でいえば、中国公船4隻は8月2日まで連続１１１日間、侵入を続けた。その間、領海侵犯を重ね、一昼夜を超えて39時間以上領海内に居座ったこともある。

米中対立激化と武漢ウイルス問題で、国際社会において孤立を深めた中国は日本に接近した。日中関係はかつてない程良好だと日本側に言わせようと友好的に振る舞う一方で、尖閣略奪の準備を怠らない。鄧小平副総理が日中平和友好条約締結のために来日した１９７８年、突如尖閣に武装漁船１００隻以上が押し寄せ、わが国政府を当惑させた。インドとの関係でも言及したように、中国の友好は常に脅しとセットでやってくるのである。

産経が報じた大挙侵入の「事前予告」は菅義偉官房長官も「そんなことはなかったんじゃないでしょうか」と否定したが、そのような記事が出稿される状況は現に存在するのだ。東海大学海洋学部教授の山田吉彦氏が7月24日、「言論テレビ」で語った。

「尖閣諸島の危機は確実に新たな局面に突入しています。情報衛星の写真で、浙江省から福建省にかけての沿岸部には港に入りきれない漁船が無数に係留されているのが確認できます。その数は1万を超すでしょう。8月のどこかで中国政府は禁漁期間を解除し、漁船団に向かうべき海域を指示するはずです。隙だらけの日本の尖閣に千隻単位の船が押し寄せる可能性は十分にあります」

## 巨大な市場の引力

日本は隙だらけだ。第一に国防態勢が整っていない。第二に政財界中心に心構えができていない。わが国は中国から見れば狙い易い鴨そのものだろう。

第一の点について小野寺五典元防衛大臣が語った。

「陸上配備型イージス・システム（イージスアショア）が現在、頓挫しています。これが整備されれば、2基のイージスアショアでわが国は北朝鮮の核ミサイル攻撃に対処できます。わが国の有する7隻のイージス艦を沖縄・尖閣防護のために南西諸島海域に展開して、中国の脅威に備えることもできます。しかし、イージスアショアなしには、イージス艦を対北朝鮮で日本海に配備しなければならず、南西諸島の守りが空白状態になります」

安全保障上、弱点を補強できず、空白を埋められなければ他国の侵略を招く。これは常識である。

南シナ海で、ミスチーフ礁を巡って中国とフィリピンが対立したときのことを想い出そう。同礁はフィリピンが領有していたが、中国が領有権を主張して軍艦を入れた。フィリピンは第二次世界大戦後に米国から払い下げてもらった唯一の旧式艦を展開させたが、そこに台風がやってきた。オバマ米大統領が両国に軍艦を退去させるようにと仲介し、フィリピンは従ったが中国は居残った。以来、中国が同礁を奪い、今日に至る。隙が生じれば、水のようにさーっと侵入するのが中国だ。戦う意思のない国は徹底的に奪われるしかない。

中国が日本を鴨と見做すもうひとつの理由は、わが国指導者の対中宥和姿勢にある。経団連を中心に、経済界は中国の巨大市場の引力に吸い寄せられるばかりだ。日本貿易振興機構（ジェトロ）の報告によると、20年1～5月における日本企業の対中直接投資額は約59億ドル（約６５００億円）と前年並みだ。日本を代表する企業のトヨタ自動車は中国5社と燃料電池システム開発で合弁会社設立を、ホンダも中国車載用電池大手との資本提携を決めた。

安倍晋三首相は3月5日、未来投資会議でサプライチェーンの日本回帰を進めると発表した。日本政府はそのために当座２４３５億円の予算を用意した。それでもわが国企業の日本回帰、或いは中国から他の国々への移転は加速していない。

いま米国は本気で中国に闘いを挑んでいる。価値観の闘いだ。中国の狙いは国土拡大や島々と海の略奪にとどまらない。地球社会全体に中国式価値観を浸透させ、中国のルールで治めようとしているのである。中国経済の利潤に浴することは、中国の価値観を受け入れることだ。否応なく、中国共産党色に染められるということだ。そのことを米国が明確に警告し始めた。私たちはいまこそ自身に問いたいものだ。人間として生まれ、如何に生きたいのか、と。日本人として生まれ、日本民族としての生き方をどうしたら守り続けることができるのか、またそれを支える価値観を守り通せるのか、と。

## 社内に中国共産党の細胞

ポンペオ米国務長官は7月23日の講演でこう警告している。

「北大西洋条約機構（NATO）同盟国にも、中国市場への参入制限を恐れ、香港問題で立ち上がっていない国がある。こうした弱さが歴史上の過ちにつながった。それを繰り返してはならない」

日本人も、どの国の人々も、中国式のやり方は受け入れられないはずだ。受け入れたが最後、私たちの人生の基盤を成している人間としての自由も、国是である民主主義も法治も、中国共産党に消し去られるからだ。中国支配の受容とは、香港の人たちが否応なく沈黙を強いられているように、共産党の教義で縛られ支配されるということだ。

中国共産党に縛られてどんな生き方をせよというのだろうか。財界の人々、経営者や投資家の中に巨大な中国市場は無視できないと言う人は少なくない。だが、いま中国で活動する企業は、社内に中国共産党の支部、細胞を置いているではないか。経済活動全てが中国共産党に監視される。経営者も社員も習近平氏と共産党の思想を敬い、指導に従うよう強要される。企業の有する最先端技術は、例外なく中国側に奪われる。細胞はきっちり監視し、その絶対的枠組みから企業は逃れられない。中国との取引で利潤を得られるとしても、そんなことでよいのか。

大事なことは、中国との経済交流を日本生存に影響のないレベルにとどめ、日本の発展と生存を支える重要技術を渡さないことだ。中国共産党の情報工作に騙されないことだ。

中国人の傑出した能力を侮らず、よい関係を築くためにも、日本人が日本人としての国家観を持ち、国力を強めることが必要なのである。夏の暑さの中で、とことん考えてみたい。

（2020年8月13日・20日号）

## 中国対日工作、過小評価は禁物だ

戦後75年、大きく変わる世界情勢の中で、これからの10年、20年、さらにその先、日本をどんな国にするのか、私たちはどんな価値観を家庭、社会、国の基盤に置きたいのか。いまじっくりと考えて方向性を決めたいものだ。

米中の価値観の戦いは行きつく所まで行くだろう。ポンペオ国務長官は2020年7月に中国に関する主要な演説を4回行い、その中で世界各国は米中どちらの側につくのか、どちらの価値観を選ぶのか、明確にせよと迫った。

日本だけでなく英国もドイツも、国際社会に対する影響力は小さくない。米国の影響力が相対的に弱まっているいま、むしろ、日本などの影響力が強まっている。経済、軍事を問わず、力のある国は応分の責任を果たさなければならない。日本は世界に対する責任を果たすためにも、米英などと共に中国とどのように向き合うかを考えるのがよいのだ。

そんなとき、米国の有力シンクタンク「戦略国際問題研究所」（ＣＳＩＳ）が7月下旬に発表した調査報告書「日本における中国の影響」を読んで少なからず驚いた。中国に対する見方が甘いのである。この47頁の報告書は「日本に対する中国の影響は他国に較べて限定的」という結論を導き出しているが、私の見方は全く異なる。

この報告書は、中国は対日影響力拡大のために硬軟とりまぜた手法を駆使してきたにも拘わらず、何ひとつ対日戦略目標を達成していないと書いている。具体例として一帯一路計画への日本の参加、沖縄の独立、日本政府内の親中派勢力育成、日米同盟の弱体化、これらのいずれも実現していないというのである。

甘い甘い。だが、逆にここで考えてみよう。こうした事例が実現していたとしたら、果たして日本はどうなっていただろうか、と。たとえば沖縄独立の実現はまさに革命勃発に等しい。天地がひっくり返る動乱となろう。

そして日米同盟の弱体化は、戦後の日本の歩みと近未来の安全保障戦略を根底から変えていただろう。

## 報告書の目的

トランプ政権、さらにオバマ政権の時から日本が直面している課題が日米同盟を強化するだけでなく、日本の役割をさらに拡大する方向での質的変化の必要性である。米国は日本に、より高度の自立を要求し続けて今日に至る。日本にもそうしなければならないという自覚がある。それはどのような形であっても日米のより強い結束を目指すものであり、同盟の弱体化ではない。

しかし中国の思惑は全く別のところにある。中国共産党は沖縄独立を焚きつけ、日米同盟の弱体化を工作してきた。彼らは常に日本の世論に影響を与え、日米を離反させようとしてきた。それらが実現していないからといって、中国の対日情報工作や影響が、他国と較べて弱い、或いは限定的だと結論するのは大いなる間違いだ。

この報告書作成の目的は「日本特有の事情に加えて（中略）中国による対日影響工作の失敗の理由を説明すること」と書かれている。

まさに「中国は日本に大きな影響を及ぼし得ていない」という結論が先にあって、そこに到達するための材料を集めたにすぎないのではないか。そう考えれば報告書で一番先に登場する日本の学者が、上智大学教授で親中派の中の親中派で左翼的な中野晃一氏である理由もわかるというものではないか。

日本に対する中国の影響が限定的だという判断に至ったひとつの証左として、報告書は日本政府の武漢ウイルスへの対処は当初甘かったが、その後、企業に脱中国を勧めるための資金を用意したことを挙げている。

日本政府が用意したのは２４３５億円ぽっちだ。米国の55兆円、独の72兆円の前では霞んでしまう金額である。「デカップリング」（切り離し）に関する日本の覚悟を疑われかねない少額資金だと、私は見ている。これを中国の影響力がそれほど及んでいない証拠とするのは客観的にみて不適切だ。むしろ中国の影響が社会に深く浸透しているからこそ、企業は脱中国を真剣に考えず、日本政府もわずか２４００億円余りの移転資金しか用意しなかったのではないか。これは逆に中国が十分深く日本人の思考パターンや危機管理に浸透していることの証拠ではないかと、私は思う。

報告書には「孔子学院」の記述もあるが、有り体にいって、事の本質には全く迫っておらず参考にならない。

中国が他国を弾圧したり影響力を行使したりするときに最も効果の大きいのが経済力の活用で

あることは皆知っている。だからこそ、豪州政府が武漢ウイルスの発生源について国際社会による科学的調査を提唱したとき、中国は豪州の大麦輸入に80・5％の追加関税をかけた。韓国が米国の要請で高高度防衛ミサイル（ＴＨＡＡＤ）を配備する可能性を示したとき、中国人観光客を止めて韓国経済を締め上げた。

こうした経済に関する事例を私たちは肝に銘じているが、盲点は教育分野であろう。各国の大学には中国人留学生が大量に送り込まれている。殆んどの場合、授業料は一括で前払いされ、受け入れ大学にとっては経済的に非常に有難い。そのため大学全体が恰も中国に従属するような、中国批判が出来にくい空間となっている。その間に中国人留学生たちは各研究室で最先端技術の研究や知見を取得し、盗み、中国に持ち帰る。

## 大学に巨額の利益

教育分野における中国の影響力拡大の柱のひとつが孔子学院だ。約２５００年前の思想家孔子の名前を冠しているが、論語や儒教とは関係のない、中国共産党が事実上直にコントロールするプロパガンダ組織である。漢弁と略称される教育部（日本の文部科学省に相当）の下部組織が始めたもので、中国語教育や中国文化の普及を通して中華圏を世界に広げること、中国共産党の影響力を世界中で高めることが目的だ。

『目に見えぬ侵略　中国のオーストラリア支配計画』（飛鳥新社）で豪州に対する中国の凄まじい侵略ぶりを描いたクライブ・ハミルトン氏は、中国のプロパガンダ部門の長である李長春氏が「孔子学院は中国が海外でプロパガンダを展開するための重要な組織だ」と述べたことを指摘している。

彼らは孔子学院第一号を2004年に韓国に設立して以来、世界162か国に550の孔子学院を設立してきた。日本での第一号は立命館大学だ。余程、よいことがあるのか、立命館は大分県に立命館アジア太平洋大学も設立済みだ。同大には多くの中国人学生が留学している。名門といわれる早稲田大学にも孔子学院が生まれた。その他12の大学にも孔子学院がある。それらは桜美林、北陸、愛知、札幌、兵庫医科、岡山商科、大阪産業、福山、工学院、関西外語、武蔵野、山梨学院の各大学である。

多くの留学生受け入れと孔子学院設立は相乗効果を生み出しながら受け入れ大学に巨額の利益をもたらす。それは前述した留学生たちの一括前払いの授業料であり、中国側から提供される種々の研究費でもある。その資金は中国教育部から出る建前になっているが、クリーンな資金だとは思えない。著名な中国研究者、デイヴィッド・シャンボー氏は、実際には中国共産党中央宣伝部の資金だと指摘している（前掲書）。日本の多くの大学や研究者が受け入れている資金は共産党中央宣伝部の資金であり、教育部から支出される形で資金洗浄されたものにすぎないということだ。先述したように、孔子学院は中国共産党が組織的、戦略的に設置する文化侵略の拠点なのである。

こうしたことに、先進国で最も鈍感なのが日本であることが残念でならない。

（2020年8月27日号）

## 【追記】

日本政府がようやく孔子学院問題に対処する姿勢を見せ始めた。2021年5月13日、参議院文教科学委員会で自民党の有村治子氏が孔子学院問題を取り上げ、萩生田光一文部科学大臣（当時）が孔子学院を設置している大学に対して組織運営や教育研究の内容について情報公開を促していく旨語った。

萩生田文科相の言葉どおり、政府は日本の大学に留学する外国人の入国審査基準を厳格化した。留学生が原子力など安全保障上重要な技術の研究をする場合や、軍事転用可能な人工知能やロケットの新素材などが研究分野の場合、留学生の学歴、職歴、出身組織など詳しい情報を開示させることになった。大学当局に対しても、外国からの財政支援の有無などについて報告させる。

これらの措置はとりわけ中国を念頭においたものだ。年間31万人を超える留学生の内、中国人留学生は5万人近くを占める。彼らは学生を名乗っているが、中国人民解放軍（ＰＬＡ）の軍人なども まじっている。軍事の専門家が日本の一流の大学に留学して、最先端の技術を修得して中国に戻り、ＰＬＡのために役立てるという事例が少なからず起きている。中国人留学生を含む大学院生の教育には日本国政府がかなりの予算を注入している。私たちの払った税金が中国人学生を筆頭に外国人留学生を支え、彼らが日本の最先端知識や技術を持ちかえり、それらが軍事に活用されて、日本が窮地に陥るという馬鹿馬鹿しいことが起きている。そうした状況に、日本政府もようやく対処し始めたということだ。

# なぜ日本人は半沢直樹を好むのか

時折りご紹介する「言論テレビ」は、私が日本テレビでニュースキャスターを務めていた時からの古い友人たちとの共同作業で成り立っている。彼らとのつき合いはかれこれ40年になろうとしており、皆、歳月を重ねて今日に至る。その「老兵」の輪の中に、畏友、花田紀凱氏も入って下さり、「言論テレビ」は2020年で開設9年目を迎えた。

私たちの基本は「伝えるべきことを伝える」「事実をして語らしめる」ということだ。そんな気持ちで地上波のテレビ番組とはかなり異なる番組を、毎週金曜日夜9時から生放送で配信中だ。地上波テレビが伝えない、物事の全体像を伝えることで、視聴者の方々の視野を広げるのに役立ちたいと願っているが、その中で気付いたことがある。

これこそ重要だと思って報じた番組がいつも多くの人に見てもらえるわけではなく、視聴者の好みには一定の傾向があるということだ。たとえば、眼前で進行中の香港大事件への視聴者の関心は、必ずしも高くない。台湾、中国問題にも大きな関心があるようには思えない。香港に対する中国共産党の弾圧は近未来に必ず日本への弾圧となり得る意味で、日本人こそ深い関心を持たなければ大変な事になるのだが、朝鮮半島問題、とりわけ韓国の文在寅政権に対する関心と較べると、香港・台湾・中国へのそれはとても低調である。

私の抱くこの印象は、果たして当たっているのか、親しい雑誌の編集者に尋ねてみた。週刊誌も月刊誌も世間一般の文字離れで販売部数は減少傾向にあり、彼らも読者の関心の向くところに敏感である。

限られた範囲内での会話にすぎないが、彼らも大体私と同じような感触を得ていることが判明した。産経新聞社の「正論」編集長・田北真樹子氏は「そのとおりなんです」と膝を打った。なぜそうなるのか。彼女の率直な表現を借りれば、「中国はヤクザで韓国はチンピラだから」ということになる。

## 悪魔のような行動

中国はいやな国だが大国だ。国土も広く人口は日本の10倍強、軍事力は世界第二で、市場も大きく経済力もある。彼らの価値観は文字どおりヤクザの如く、私たちとは相容れない。国際法、国内法に限らず彼らは法の埒外にある。力の行使も逡巡しない。それだけに面と向かって対立する相手としては手強い。他方韓国は日本攻撃の論理も手法もいわば分かり易い。その分、彼らの非を指摘するのも容易だ。彼らを相手とする場合、一言でいえば与《くみ》し易いのである。従って韓国報道の方が好まれると、彼女は見る。

ワック株式会社「ＷｉＬＬ」編集長の立林昭彦氏も「明らかに韓国問題の特集の方が中国や香港問題よりも読者に受ける」と認める。その理由について、氏は「韓国の言動は余りにも奇妙キテレツで、端《はな》から優位に立てる余裕が日本人の側にある」からだと見る。他方中国は戦狼外交で国際社会にとって許されざることをしているにも拘わらず、巧妙である。彼らはその悪魔のような行動を外部社会に見せない。国際社会の目を一応気にして取り繕う。

ウイグル人の弾圧・拷問・虐殺などはその一例であろう。ウイグルの人々は百万人単位で拘束、収容されて、ウイグル人であることを諦めさせられつつある。中華文化に同化して中国人になるよう、言語も宗教も暮らし方も奪われている。中国共産党に従わなければ拷問が待っているだけだ。ウイグル人が閉じ込められている地獄の実態は、中国政府が封じ込め政策をとる現在、具体的に示すことは難しい。抽象的に知るだけでは人の心を動かす力が弱いのか。それが香港問題や中国問題への関心の低さにつながっているのだろうか。

他方、韓国文在寅政権の愚かさは、根っからの左翼活動家、曺国《チョグク》氏の法相任命をはじめ、北朝鮮へのへつらい、韓国最高裁による朝鮮人戦時労働者問題での常軌を逸した対日政策など、非常に分かり易い。その馬鹿馬鹿しいほどの分かり易さゆえに多くの視聴者や読者をひきつけると、立林氏は言う。

「月刊Ｈａｎａｄａ」編集長の花田氏の見方は多少異なる。

「あくまでもタイミングですよ。朝鮮問題も、香港・台湾・中国問題も、どのタイミングで、どんな内容を出すかが決め手です」と。

正にそのとおりだ。氏はさらに言った。

「ウチはどちらを扱っても、おかげさまでよく売れています。読者の皆さんに感謝しています」

ムムムッ。

花田コメントに感心しながら私はＴＢＳの人気ドラマ「半沢直樹」を連想していた。わが家のきれい好きで働き者のお手伝いさんが欠かさず見る番組が二つある。「ポツンと一軒家」と「半沢直樹」である。週末、時々私もつき合って一緒に見る。

## 百倍返し

「ポツンと」を見ると心がほっこりあたたかくなる。日本人はこんなに親切で愛情深く、誠実で働きものなのだと、熟《つくづく》納得する。そして母の故郷、新潟県小千谷《おぢや》市真人《まっと》町万年《まんねん》の田舎の人々や私の故郷長岡の友人たちを心底、懐かしむ。そして憧れる。私もあんな深い山の中の「ポツン」に住んでみたいと。その度に「出来ないくせに」と笑われている。

「倍返しだ！」と言って百倍返しする「半沢直樹」は、悪を挫き正義を実現してくれる心強いヒーローだ。「倍返し！」を貫くのは日本社会の基盤となってきた価値観である。正義、責任、公正さ、弱者への共感など日本人を日本人たらしめてきた大切な価値観が、半沢直樹の戦いを支えている。亡くなった李登輝元総統が日本人に思い出させようとした武士道精神が、現代社会のせめぎ合いのドラマの中にちりばめられている。その爽快さに拍手を送りたくなる。

私がここで知りたいのは、何故、視聴者はこの番組を好むのかということだ。如何にも悪巧みの頭領のような男がいて、その一派が巡らす陰謀に半沢直樹は打ち負かされそうになりながらも、必ず勝つのである。悪は必ず懲罰され、倍返しだ！と半沢が一喝する。単純化されているが故に、安心して見られるのか。

池井戸潤氏の原作、『銀翼のイカロス』には、事の展開にまつわる詳細がぎっしり詰め込まれている。テレビドラマ化の過程で詳細のかなりの部分は省かれ、事の顚末の場面場面が象徴化され強調されている。その山場山場が見る人の胸に深く刻み込まれて、心を揺すぶり続けるのであろう。

私も言葉で表現して伝えようとする言論人だ。日本人はもっと中国の脅威に中・長期的視点で身構えるべきで、香港の運命は台湾、沖縄・日本の運命に重なるという大事なことを伝えたいのであれば、私の発する言葉が読む人、聞く人の心にもっと深く残るよう、努力しよう。

（２０２０年９月３日号）

# 第3章　政治家は何をすべきか

## 米国の対中姿勢は非常に強硬だ

2020年8月28日、安倍晋三首相が辞任の意思を表明した。それを受けて間もなく誕生する新首相の最大の課題は対中政策において誤りなきを期することだろう。合わせ鏡の論として、これまで以上に対米関係の実質的強化に努めることでもある。

中国には人間の常識に基づいて向き合うのが最善である。許容範囲を遥かに超えた新疆ウイグル自治区でのウイグル人をはじめとするイスラム教徒の人々への弾圧や、香港に関する英中合意の破棄。その結果として香港から自由、民主主義、人権等を奪い尽くすことは、穏やかな文明を育み、人間一人一人を大事にしてきた日本の国柄に鑑みて、到底受け容れられないのである。そのような隣国のあり方に強く抗議するというメッセージを、日本国として発することが大事だ。

9月8日の「産経新聞」が一面トップで伝えたスクープの意味を嚙みしめたい。民主党政権当時、尖閣諸島沖の領海内で中国漁船が海上保安庁の巡視船に体当たりした。わが国は船長を逮捕したが、菅直人首相（当時）が「釈放」を命じたと、前原誠司元外相が語っている。なぜ釈放させたのか。予定されていた横浜でのアジア太平洋経済協力会議（ＡＰＥＣ）に、胡錦濤国家主席（当時）が来なくなると困るという理由だったという。自民党内には今も習近平国家主席の国賓訪問を切望する人々がいるが、次期政権は民主党政権の愚を、決して繰り返してはならない。

田久保忠衛氏は「国際社会で最も恐れるべきは孤立である」という中曽根康弘元首相の言葉を政府首脳が心に刻むときだと語る。国際社会における日本の立ち位置を確保する際、日本本来の価値観に基づいて力強く立ち続けるしかない。

私たちが望む自由な世界、人権が尊重され法秩序が保たれる世界は、米国一国だけの力では守り通せなくなっている。国際社会が連帯して異形の大国中国に抑止をかけなければならない。価値観を共有する国々との連携が欠かせない。その中でわが国が連携の要になることが日本の最大の国益である。

## 全米の孔子学院を全廃

日本には中国の侵略から守らなければならないものが多くある。目に見えるその第一が尖閣諸島である。尖閣諸島の防衛は南シナ海の岩礁を守ることと基本は同じだ。中国は南シナ海のサンゴ礁を中国領として、人工島と軍事基地を造り領有権を主張する。中国の国際法無視はとんでもないことであり、私たちは決して許さないという国際世論を米欧諸国と共に作るのだ。世界の秩序を、異質、異形の勢力である中国共産党の下に差し出して勝手にさせるようなことになれば、世界は暗黒の世となる。だからこそ、日本はもっと強く、南シナ海の中国支配に異を唱えるのがよいのだ。

中国との闘いの先頭に立つ米国は、一連の政策・行動において、日々厳しくなっている。戦略を打ち立てたが最後、総力を挙げて突進する。大東亜戦争に至る過程で米国が如何に周到な対日攻略策を構築し、実行したかを思えば、現在の米国の対中政策に米国の本質が見てとれる。米国の中国に対する怒りの深さを、新首相は肝に銘じておくべきだろう。

9月1日、ポンペオ国務長官はFOXビジネス・ネットワークの「今夜のロウ・ダブ」という番組に出演し、現時点で少なくとも75の大学等に設置されている孔子学院について問われ、今年末には、「ゼロになっていることを希望する」と述べた。

あと3か月余りで全米の孔子学院を全廃させるというのだ。中国語や中国文化の普及を表向きの目的として、中国政府の資金で海外に設置している孔子学院を、米政府が外交使節団と同じ分類に認定したのは8月13日だった。孔子学院を中国共産党の戦略指導の下で活動する機関としたわけだ。事実、孔子学院は世界において中国共産党の影響力を高めるために設置された機関であり、その資金は中国共産党中央宣伝部から出ている（クライブ・ハミルトン『目に見えぬ侵略中国のオーストラリア支配計画』飛鳥新社）。

トランプ政権は各大学の各教授の各研究プロジェクトにどれだけ中国資金が入っているか、全て報告させた。情報公開という民主主義社会を支える力を活用することで米国の知的空間に対する中国マネーの侵略工作に終止符を打ったのだ。

日本では早稲田大学をはじめ有名大学の数々で孔子学院を擁しているが、108頁でも触れているように、このことに無関心であってはならない。

米国の対中対抗策は後述するように日々刻々、強化されている。息つく暇もない程の米国の対中警戒振りを十二分に意識しなければわが国の新政権は米国からの批判に直面してしまうだろう。

米国のやり方の一部を見てみる。5月28日、中国が全国人民代表大会で香港への国家安全維持法の導入を決定すると、翌29日、トランプ大統領は米国市場に上場している中国企業の財務を精査し、上場廃止を可能にすることや香港への特別措置の撤廃を含む対抗措置を発表した。7月14日には対香港優遇措置廃止の大統領令に署名した。

## 打つ手がない

香港金融市場が中国経済に及ぼす影響が限りなく大きいのは周知のとおりだ。２０１９年１～8月の統計では外資による対中投資の70％が香港経由で行われた。18年には中国企業は香港金融市場で１０００億ドル（約11兆円）の資金を調達した。香港金融市場の締め上げは米企業にとっても痛手だが、そんなことは物ともせずに米政府は敢えてそこに踏み込んだ。対中取引から得る現在の利益よりも、中・長期的視点に立った国益を重視したのだ。この米政府の政策を日本も十分、勘案しなければ米国市場で日本企業は生きていけなくなる。

7月8日、ポンペオ氏は尖閣諸島に具体的に言及して「世界は中国の弱い者苛めを受け入れない」と断言した。世界中で進行中の領土紛争に関して、アメリカが初めて中国の主張を否定し、非難したのである。中国の領有権の主張は国際法の根拠を欠き、事実関係においても間違っているとして、日本を含めて中国の侵略を受けている国々の側に立った。この声明は南シナ海で中国に圧迫され続けているフィリピン、ベトナム、マレーシア、インドネシアなどにとってどれ程頼もしかったことか。日本にとっても非常に大きな支えになった。

7月24日にはトランプ政権は米ヒューストンの中国総領事館を閉鎖させた。8月6日にはトランプ大統領が中国系動画アプリ「ＴｉｋＴｏｋ」を運営するバイトダンスとの取引を45日後から禁止すると発表した。13日にはファーウェイなど中国のハイテク企業5社の製品を扱う企業を、米政府調達から外すと発表した。

これら中国のハイテク企業は19年に米政府調達から外されていたが、今回は民間企業にも中国製品の排除を迫ったのだ。米国政府か中国企業かと、言い訳できない形で二者択一を迫った。

8月9日には厚生長官のアザー氏が台湾を訪れ、蔡英文氏を「大統領」と呼び、台湾を独立国として扱った。米国はどこまでもやる気である。対して本当は激怒しているはずの中国は反撃らしい反撃もしていない。中国政府から発信される対米メッセージはひたすら対話の呼びかけである。中国は世界で孤立しており、どれだけ口惜しくとも打つ手がないのである。

いまがチャンスなのだ。日本はこの米国の対中強硬政策の流れを摑みとって、米国と共に、自由世界の中心軸を目指し、中国が私たちの価値観を受け入れざるを得ないところまで頑張るのだ。

(2020年9月17日号)

# 菅新首相に望む、安倍氏の歴史観継続

2020年9月11日の「言論テレビ」で安倍晋三首相と次期首相の菅義偉官房長官について語った。政治ジャーナリストの石橋文登氏が安倍首相のわが国に対する最大の功績は「日本を死の淵から救ったことだ」と語った。

仮定の話だが、もし、12年以降も民主党政権が続いていたら、尖閣は今頃中国に奪われている。野田佳彦首相（当時）はよくぞ半年前倒しで解散してくれたものだ。民主党政権下で経済はどん底に落ち込み、国際社会ではどの国からも相手にされず、日本は沈みかけていた。解散・総選挙で安倍氏率いる自民党が大勝利して、日本は蘇ったと、石橋氏は力を込めて語った。

安倍首相の真の功績は日本人の歴史観を正したことだと、私は思う。戦後70年談話で「子や孫、そしてその先の世代の子どもたちに、謝罪を続ける宿命を背負わせてはなりません」と語り、歴史を公正に見詰めることの大切さを国民に説いた。

反省すべきは反省するが、父母・祖父母の世代の日本人が歩んだ道も、十分に評価しようという考えだ。歴史に正対して評価する姿勢は、未来永劫謝罪し続ける偏った道を拒否するもので、歴史観の矯正こそ安倍首相の最大の功績だ。会話がそんな形で深まったとき、石橋氏が言った。

「真ん中層を変えたのですよ。右と左は元々いた。僕が新聞記者になった30年前、君が代を歌う奴は右翼だと言われた。いま、君が代を歌わない奴は左翼だって言われる。この部分をいじったのが安倍晋三ですよ。総理になる前から歴史教科書問題に取り組んでいた。それが原因で左傾メディアとぶつかり、非難された。しかし社会の中間層は普通の国民ですよ。この常識を備えた中間層が、君が代を歌うのが正しいのか、歌わないのが正しいのか、ようやく気付いた。歌うのは右翼だというのと、歌わないのは特定の少数派だというのは非常に大きな違いです。真ん中にいた人たちの認識を変えたのが安倍晋三の最大の功績ですよ」

そのとおりであろう。

## 独立国ではない状況

菅氏は安倍氏の路線を引き継ぐと語っている。それは個々の政策ひとつひとつを引き継ぐという意味ではないだろう。安倍政権は選挙の度に国民の圧倒的支持を得て勝ち続けた。その勝利を見続けてきた菅氏は、国民が支える安倍氏の価値観を引き継ぐと言っているのであろう。日本を本来の日本たらしめる、そのための改革を推進するということであろう。それは究極的には歴史観の問題に行き着く。

安倍首相は誰よりも、日本は独立国だという意識を持っている。日本が独立国だなんて当然のことだと思ってはならない。憲法、安全保障を見ればそうではないのだから。わが国は実質的に独立国ではない状況に落ち込んだきり、国民もそのことに慣れきっている。石橋氏の指摘した君が代を歌うのは右翼だという感じ方がその背景にあった。日本の過去はおよそ全て間違いで、悪いことばかりだと「反省」し続けるべしという歴史観だ。

菅氏が引き継ぐ安倍路線の一番大事な要素がこの歴史観であることは、繰り返し指摘したい。その上で強調したいのは、歴史観の引き継ぎは理念にとどまっていてはだめだという点である。眼前にある具体的問題をきちんと解決して筋を通すことだ。

一例が韓国を貿易上のホワイト国から外して通常の国と同じ扱いにしたことに関する事案だ。この点で菅氏は一歩も譲っていない。私はその心構えを評価する。もうひとつ、「産業遺産情報センター」問題もある。同センターは20年3月、東京・新宿区に開設され、前内閣官房参与の加藤康子《こうこ》氏がセンター長を務めている。

加藤氏は、鎖国の眠りから醒めた日本が如何にダイナミックに産業革命を進めて明治維新を成功させ、近代国家へと変身したか、先人たちの努力と叡智、その足跡を丁寧にまとめた。それはまさに心を揺さぶる感動の物語である。

一人一人の国民の位置づけ、行政機構、法律、哲学、文学などあらゆる面で日本は猛然と学んだ。鉄鋼、造船、石炭など重工業分野でも飛躍した。日本がほぼゼロの状態から産業革命を成し遂げられたのは、優れた人々の集団が日本に存在したからだ。その中核は誠実で真面目で高い労働倫理を身につけていた一般国民だった。

たとえば日本のエネルギーを賄う石炭採掘において長崎県端島《はしま》の鉱山があった。軍艦島と呼ばれたこの小さな島では日本人と朝鮮人が心を合わせて働いた。三菱は当時世界最先端を行く近代的鉱山とそこで働く人々のためにこれまた近代的住宅群を造り、日本人と朝鮮人を平等に扱う社の倫理規程を実施した。

だが韓国はこの軍艦島を「強制連行」「奴隷労働」「虐待の限りを尽くした地獄島」と貶め、ユネスコの世界文化遺産登録に大反対の大キャンペーンを展開した。

## 強力な反対意見

加藤氏は元島民70人以上に会い、一人当たり数時間から数十時間にわたって証言を聞いた。端島で働き、家族と共に島で暮らした人々の証言は、日本人のそれも朝鮮人のそれも拷問、虐待、差別、奴隷労働、強制連行、地獄島などの全てを否定するものだった。

直接の当事者に話を聞くのは、歴史研究の第一歩だ。それを真面目に成し遂げた加藤氏がいま、激しい抗議に晒されている。情報センターに韓国メディアが押し寄せる。在京大使館からも見学者が来る。それ自体は結構なことだが、彼らはいずれも前述した軍艦島を貶めるような証言が展示されていないことに抗議するのだそうだ。だが、韓国側が言い立てることは歴史の事実ではない。歴史の事実ではないことを展示できるはずはない。

問題は韓国側の理不尽な動きに「朝日新聞」や「共同通信」が連動していることだ。「月刊Ｈａｎａｄａ」20年9月号及び10月号に詳細は譲るが、朝日の清水大輔記者と共同通信の西野秀記者が、「朝鮮人強制労働被害者補償立法をめざす日韓共同行動」事務局長の矢野秀喜氏と共に来館したときの応答は実に興味深い。明らかなのは矢野氏らが多くの間違った情報に依拠して日本非難を繰り返している点だ。

さて、ここからがもっと重要な部分だ。加藤氏に抗議する勢力は韓国や朝日や共同だけではないのだ。実は彼女が日本の産業革命の足跡を、そこで働く人々の実態も含めて調べ、資料収集していたとき、強力な反対意見が日本の官僚、とりわけ外務省や官邸中枢に陣取る幾人かの有力者たちから表明されたという点だ。

加藤氏の資料・証言収集と情報センター開設は、一にも二にも安倍首相の強い後押しがあって初めて可能だった。それなしには、到底、不可能だった。

加藤氏の手掛けるこの「産業遺産情報センター」がこれからも無事に存続できるように担保し、拡大発展して日本の歩みに光りを当て続けられるように守り、配慮することが、菅氏が安倍政治の継承という約束を果たすことの一つだと思う。

（2020年9月24日号）

【追記】

産業遺産情報センターについては、本当は皆さまに「月刊Hanada」をお読みいただくのが一番よいのだが、約1年前の号であり、ここでその一部を紹介する。

産業遺産情報センターは2020年3月に開設されたが、武漢ウイルスの広がりの中で臨時休館したりしながら、少しずつ見学者を入れるようになった。一般公開当日の6月15日に韓国外務省は日本が歴史を「完全に歪曲した」とする抗議声明を発表した。同月22日には韓国の康京和《カンギョンファ》外相がユネスコ事務局長に端島（通称軍艦島）を含む「明治日本の産業革命遺産」の世界文化遺産としての登録を取り消すよう求めた。

韓国側は軍艦島では朝鮮人労働者は差別され、虐待され奴隷のように酷使されたと言い張るのだ。だが、当時の三菱は朝鮮半島の出身者も含め、出身地による差別や待遇差を禁じていた。炭鉱夫の賃金は本人の技量、年齢、勤続年数を反映した固定給と出来高による歩合給だったという。待遇は、食糧、配給、風呂、映画、娯楽に至るまで、平等だった。

これらは加藤氏が直接録画した元島民が全員一致して語っていることだ。にも拘わらず、「朝鮮人強制労働被害者補償立法をめざす日韓共同行動」事務局長の矢野秀喜氏らが産業遺産情報センターを訪ねてこう語ったという。「端島労働組合書記長だった人が『軍艦島は地獄島だった』と書いている」と。実は加藤氏はこの人物、元島民の多田智博氏の証言録も撮っていた。当時92歳になっていた多田さんはざっと以下のように語ったと、加藤氏は書いている。

端島炭鉱閉山から20周年の会に朝日新聞の若い記者が取材に来た。しかし多田氏は取材を拒否した。なぜなら、朝日は、端島で日本人が朝鮮人を虐待したなどとウソばかり書くからだ。朝日の若い記者はそんなことは「絶対書きません」と言って何回も訪ねてきた。多田氏は若い記者が気の毒になって取材に応じ、当時の写真まで貸してやった。ところが新聞に掲載された記事には朝鮮問題が大きく報道されていたという。

多田氏は朝日に抗議の電話をしたが、全く要領を得ず、担当していたはずの若い記者は転勤していなくなったと言われたそうだ。以来、多田氏は朝日の購読をやめた。何年もすぎてからこの若い記者から詫び状が届いたそうだ。そこには、朝鮮人虐待のはなしなどは自分が書いたのではなく、上司が勝手に加えたと説明されていた。

矢野氏の話に戻ろう。加藤氏が右のような説明をしても、矢野氏は自分の情報不足を恥じ反省することもなく、お茶を濁すだけだったそうだ。加藤氏が集めた証言集には幼少期を端島ですごした在日韓国人の証言もある。この在日二世の鈴木文雄氏は「軍艦島では半島出身者への差別などなかった」と3時間以上、語ってくれたそうだ。

さて、朝日や共同通信が捏造ニュースで産業遺産情報センターを貶める記事を発信し続ける一方で韓国政府も歴史の捏造をやめない。彼らはユネスコの世界遺産委員会への働きかけをずっと継続してきた。その結果、21年7月、ユネスコが日本に対して「強い遺憾」を表明する決議案を採択することになった。日韓の歴史戦争の展望は暗く、日韓関係の改善も望みにくい。だが、大事なことは、日本側が歴史の事実をきちんと押さえた上で、世界に正しい情報を発信し続けることだ。

先に指摘したように加藤氏の証言収集は安倍晋三元首相の強い支えなしにはできなかった。この証言録なしには、日本は韓国や朝日や共同通信の捏造歴史物語に反論できなかったと思われる。一国の首相の決意が如何に大事であるかということだ。きちんとした歴史観を持ち、何としても歴史の捏造は許さないという姿勢を貫くことが大事なのだ。

もう一点、誰も否定することのできない真理を共有しておこう。自らの歴史を理解し、学び続ける民族は、歴史から汲めども尽きない賢さを学びとり、どんな嵐の中でも倒れることのない勁《つよ》さを身につけることができる、と。

## 在日米軍を標的に中国が軍事訓練

「防衛問題とは一部の軍事マニアや軍事オタクのものではなく、常識論だ」

こう喝破するのは4年半にわたって統合幕僚長を務めた河野克俊氏である（『統合幕僚長』ワック）。

「自分は何かあったら友人に助けてもらうが、友人に何かあってもお金は出すが助けないという友人関係は常識的にあり得ない。スポーツでもそうだが、守るだけで攻めることをしなければ試合には勝てない。これも常識だ」

河野氏は日米安保条約の非対称性と、日本に染みついている専守防衛の考え方は非常識そのものだと言っている。全く同感である。

防衛の常識を欠いている日本で実際に起きた恥ずかしい事例を河野氏の本から抜粋してみよう。今更ではあるが、1991年の湾岸戦争に直面して日本が演じた醜態を忘れてはならない。

イラクがクウェートに侵攻し、米国が有志連合を結成してイラク攻撃に踏み切った。日本は中東の油に依存しており、高みの見物は許されない。しかしどんな貢献をするのか、海部俊樹首相（当時）はうろたえた。

まず初めに、民間人を派遣する案が提示された。だが民間海運会社に物資の輸送を依頼すると船員組合が猛反対した。メディアは、自衛隊が行かずに民間海運会社に行かせるのはおかしいと批判した。もっともだ。

次に民間人と自衛官をともに派遣する案が出された。だが憲法九条の壁があるから、派遣地域は分けなければならない。自衛官を危険地域に行かせると、武器を持っているので国権の発動たる武力行使になってしまいかねない。そこで「自衛官を安全地域に、民間人を危険地域に」ということになった。誰が聞いてもおかしな話でこの案も立ち消えた。

続いて海外青年協力隊のような別組織を作ってそこに元自衛官を入れて派遣する案が検討された。だが別組織など簡単には作れず、この案も波の彼方に消えた。

## 冷たい視線

さらに今度は、自衛官の身分のまま協力隊に所属させ二つの身分を持たせる案が出た。これは法律上無理となって消えた。

その次に出てきたのが予備自衛官の活用案だが、当時の予備自衛官は高年齢層の人たちが中心で、これまた却下された。

残されたのが、自衛隊をそのまま派遣する案だった。しかし、ワイドショーなどで「自衛隊を派遣すれば、日本は軍国主義になる」という声が広がった。「いつか来た道」「蟻の一穴」「軍靴の足音が聞こえる」という言葉が飛び交ってこの案も潰れた。

実はまだこの先にも幾つかの案が提示されては消えていったことを河野氏は書いているのだが、ここでは省く。結論を言えば、わが国は最終的に1兆8000億円を拠出した。但し、「武器弾薬等には使わないで下さい」などの条件をつけた。湾岸戦争が終わったとき、クウェートも世界も日本に感謝せず、カネで済むと思うなどとでも言うべき冷たい視線にわが国は晒された。当然だ。これが憲法九条のもたらした結果である。日本は非常識だったのである。当時と今は、多少、違う。しかし、基本的な状況は全く変わっていない。

だからトランプ米大統領は２０１９年６月、３度にわたって「日米安全保障条約は不公平だ」「米国は日本を助けるために戦うが、日本はソニーのテレビで見物するだけだ」「米国の軍事費は膨大なのに日本は十分なカネを払っていない」「不公平な日米安保条約の破棄も考えている」と強烈な不満を口にした。

一連の発言はトランプ氏の本心そのものだ。にも拘わらず、日本政府・外務省は「日米政府間では日米安保条約の見直しといった話は全く出ていない」などと否定した。現職の大統領は米国政府の代表だ。米国政府の意思表示ではないとしてトランプ発言を否定することは、まさに非常識だ。

日本政府が現実から逃避している間にも、世界の安全保障環境はさらに厳しくなった。トランプ発言から１か月後、米露が約30年間守ってきた中距離核ミサイル（ＩＮＦ）全廃条約が失効した。射程５００キロから５５００キロの地上発射型ミサイルは、米露両国がその全廃を取り決めたが、それ以外の国々は次々に中距離ミサイルを保有し始めた。中国を筆頭に、インド、パキスタン、イラン、イラク、北朝鮮、さらに韓国もである。核保有国はその中距離ミサイルに核を搭載できる。

事実上、好きなだけ戦力を増強できる世界になってしまったのだ。剥き出しの力が物を言うのが現実世界である。

そうした中、米国には中距離ミサイル攻撃に対処する手段がないのである。日本はどうする。これは、米国の安全保障問題ではなく、日本自身の安全保障問題だ。日本の安全保障環境が非常に危険な状況にあることに気付かなければならない。

## 戦後最大の危機

防衛研究所防衛政策研究室長の高橋杉雄氏が『新たなミサイル軍拡競争と日本の防衛　ＩＮＦ条約後の安全保障』（並木書房、共著）で、米国の専門家の論文を次のように紹介している。中国のミサイル攻撃能力の高さを窺わせる内容だ。

「中国国内に、日本の嘉手納基地、横須賀基地、三沢基地を模したターゲットが存在しており、（中国人民解放軍は）そこに向けてミサイルの実射試験を行なっている」「それらのターゲットには、横須賀に停泊している艦艇、三沢や嘉手納のバンカーや駐機場さえも再現されており、しかもそれらにピンポイントで弾道ミサイルが弾着している形跡がある」

訓練ではあるが、中国は精密誘導兵器によって、個々の艦や駐機場の航空機まで殲滅しているのである。彼らは明らかに在日米軍基地をターゲットとしている。台湾奪取、尖閣占領などで、中国軍に立ちはだかるのは米軍であるから、当然であろう。中国のミサイル攻撃をどのように阻止するのか、彼らの攻撃から如何にして国民・国土を守るのか、北朝鮮の脅威への対処も含めて戦後最大の危機が日本に迫っている。

日本がどのような安全保障戦略を持つべきか、中国や北朝鮮に対してどのような抑止力を構築すべきかを考えるとき、大事なことはハードウェアの具体的な仕様や、配備場所を先行して議論することではないと高橋氏は説く。

「兵器の具体的な運用の形態は軍事戦略に従属し、軍事戦略は大戦略に従属するからだ」

個々の兵器の能力や配置について論ずるよりも日米間で補い合いながら中国を抑止する術を考えよというのだ。私たちはかつてない脅威に晒されている。そのことを意識し、日本の国防を確かなものにする為に、あらゆる努力をするという決意を固めなければならないのは明らかだ。

(2020年10月1日号)

## 核使用が前提、世界情勢の厳しさ

米国は尚武の国である。加えて説明責任を重んずる国である。

トランプ大統領のツイッターや言動を見て、米国は迷走しており、政策は衝動的に提案されていると言うのは簡単だろう。しかし、トランプの米国はそれだけではない。後述する中距離核ミサイル（ＩＮＦ）全廃条約の例に見られるように全く別の米国の姿がそこにはある。じっくりと考え抜かれた戦略があり、トランプ氏の政策はそうした戦略に則ったものだと実感する。そのことを理解せずに、トランプ政権の意向を読み違えれば、安全保障を全面的に米国に依存せざるを得ない日本は窮地に立たされる。

ＩＮＦ条約は２０１９年８月２日に失効したが、トランプ氏が勝手に破棄したと考えるのは間違いだ。ロシアはＩＮＦ条約に入っていながら、長年違反を承知で中距離ミサイルの開発・配備を続けていた。

同条約は射程５００～５５００キロの地上発射型中距離ミサイルの開発及び配備を禁止するものだ。条約当事国は米ソ（露）だが、条約に入っていない中国をはじめ、インド、パキスタン、イラン、イラク、北朝鮮、韓国などはこの約30年間ほぼ自由に開発・配備を続けてきた。条約失効で世界はいま、ごく一部のミサイルを除いて相手国を殲滅できる強力なミサイルを作りたいだけ作れる無法空間になった。

米国のシンクタンク、ハドソン研究所の研究員、村野将氏によると、米国は13年5月段階でロシアにINF条約を遵守させるための外交交渉を開始したという（『新たなミサイル軍拡競争と日本の防衛　INF条約後の安全保障』並木書房、共著）。

このときから条約破棄まで5年9か月かかっている。この間ロシアは基本的に自らの条約違反を否定し、ウソをまじえた言いがかりをつけた。村野氏は具体例としてルーマニアとポーランドに配備した米国のイージスアショアの「マーク41」と呼ばれる多目的垂直発射装置（VLS）を巡る米露交渉をあげている。

## 善意の人

ロシアは、マーク41はトマホーク巡航ミサイルに転用可能で、米国こそINF条約違反だと主張した。米国はマーク41は電子システムや火器管制に関するソフトウェアが艦載型と異なること、INF条約で禁止されている地上発射型巡航ミサイル装置の能力は備えていないことを説明した。そのことを証明するためにロシア側にイージスアショアの施設査察まで提案したが、ロシアが断った。

実は米政府はそれ以前からロシアの条約違反の可能性を察知していた。ロシアによる地上発射型巡航ミサイルの発射実験回数や飛翔距離の詳細な情報を水面下で同盟国に提供した。11年には米議会にも正式に報告した。14年1月には同情報をNATOに伝達した。そのとき、NATO側は「なぜもっと早くロシアの条約違反を公表しなかったのか」と質し、米国側はこう答えている。

「米政府は、08年からロシアが実験を開始したことは把握していたが、それが海洋・空中発射型ミサイルの地上試験なのか、（違反対象となる）地上発射型巡航ミサイルの開発を意図したものなのか、その時点では判断できなかった」

米露が地上発射型巡航ミサイルに拘るのは、同ミサイルには以下に示す幾つかの利点があるからだ。

①短期間で開発・配備が可能、②命中精度が極めて高い。射程１６００キロメートルで目標から10メートル以内に着弾、③コストが低い。１発あたりのコストは約１４０万ドル（約１億５４００万円）で準中距離弾道ミサイルの１６００万ドルに較べると10分の１以下となる、④海洋・空中発射型に較べて弾薬の補給や再装塡などの兵站が容易。イージス艦や潜水艦の場合、母港に戻って再装塡しなければならない、⑤組み合わせによって多方位、同期、飽和攻撃が可能。

他方で飛行速度が音速以下という弱点もあるが、総合すると利点が欠点を補っている。だからこそ、ロシアは米国を出し抜いて開発を進めてきた。

米国はロシアの条約違反情報を把握してから公式に問題提起するまで5年かけている。米国当事者らの対応は控え目に言っても慎重である。こうした情報把握と分析はオバマ政権後期に盛んに行われていたが、オバマ大統領は理想を唱える善意の人だった。国防の専門家の間ですでに幅広く議論され始めていたＩＮＦ条約とロシア問題についてオバマ氏が余り関心を払わない間に、ロシアは地上発射型巡航ミサイルを2個大隊分も保有するに至った。彼らは欧州の米軍施設の殆んどを射程にとらえてしまったのだ。そうした状況を引き継いだのがトランプ政権だった。

## 大規模軍拡

トランプ氏は大統領就任1年目の2017年12月に「国家安全保障戦略」を、翌年1月には「国家防衛戦略」、さらに「核態勢の見直し」を発表した。

三つの重要政策発表で明らかにされたのは、それ以前の米国の楽観主義に基づいた安保政策の反転だった。まず第一に、それまで米国への脅威は国家ではないテロリスト集団だと定義されていたのを、ロシア・中国など、特定国家こそ脅威だとした。

第二に、それまでの楽観論、つまり、米国が（核）軍縮のお手本を示せば他国も追随するという見方を否定した。ここで日本も注目しておくべき核兵器に関する非常に重要な転換が起きた。核兵器は所有しているだけでは抑止につながらず、実際に使うことを前提にしなければならないという考え方への転換である（前掲書）。

こんな議論をすると日本では気が狂ったかと思われるであろう。しかし、国際社会の攻防はここまで厳しくなっていることを知っておきたい。

米国の国防戦略は長年ロシアを主敵として構築されてきた。その間、中国は人類史上例のない継続的かつ大規模な軍拡についても、中距離ミサイル配備についても、その許されざる侵略性を考えれば、彼らに向けられて当然の激しい非難を免れてきた。それは米国の中国に対する信頼ゆえであり、その信頼は、世界最大規模の人口を抱える中国はまだ貧しいが、彼らが十分に豊かになれば、米国のような国になりたいと願うに違いないという楽観主義ゆえだった。だが、いま米国の期待が見事に裏切られているのは周知のとおりだ。

日本周辺で進行中のことは全て、日本の運命を左右する重大事ばかりだ。日本周辺――朝鮮半島、東シナ海、南シナ海、西太平洋は世界で最も状況が緊張している地域だ。米中関係も中豪関係も緊張の極みにある。そうした中、日本の役割は比類なく大きい。日本が責任ある役割を果たすことによって初めて日本の命運も担保される。日本の役割は日本が自力を高め、同じ価値観を共有する国々と深く連携し、対中抑止力を高めることに他ならない。一言で言えば戦後体制からの脱却が今こそ必要である。

（2020年10月8日号）

## 「学術会議」にモノ申した菅首相の英断

アカデミズムの権威の衣をまとい、戦後の歴史の中でおよそいつも日本の発展を阻害してきた日本学術会議（以下学術会議）に菅義偉首相が物言いをつけた。菅首相の決定は英断であり、高く評価する。評価の理由は後述するが、まず、この組織を見てみよう。

学術会議は、日本が米軍の占領統治下にあった１９４９（昭和24）年1月に設立された。学術会議の副会長を3年間務め、東京大学アイソトープ総合センター長などを歴任した唐木英明氏が強調するのは、敗戦後の日本を支配した米国のニューディール派、つまりアメリカ共産党の若い人材がこれまた共産党シンパの日本の物理学者らと一緒に作り上げたのが学術会議だったという点だ。

唐木氏の説明によると、占領軍は当初日本の原子力研究を禁止するだけでなく、理化学研究所、大阪大学、京都大学などのサイクロトロンを破壊するなど、極めて荒っぽい施策を強行した。科学研究を踏みにじるこのような占領行政に対して、流石に米本国でも批判が生まれた。そこで48年に米国から科学を理解する物理学者が派遣され、ＧＨＱの科学技術部に赴任した。学術会議はこうした流れの中で、前述したように49年1月に設立された。

当時のキーワードは科学者民主主義だった。その特色は政府からの独立だ。組織運営費はすべて政府予算から出されたが、科学者らは政府の意向に反する提言を出すことが認められ、しかも政府はその提議を尊重しなければならないとされていた。

48年12月に会員選出の選挙が行われ、210名の定員に対し日本共産党から61人が立候補し、26人が当選した。その他共産党の同調者、40人も当選した。さらに、共産党の影響下にあった民主主義科学者協会の候補も多く当選し、全会員の約1割を占めたという。

彼らは科学界の戦争犯罪人を一掃するための特別委員会を民主主義科学者協会の中に設置するなど、左翼的動きを強めた。

当時の学術会議での議論の争点は、原子力研究の再開と原発の導入だった。政府は米国の後押しを得て原発導入に進んでいたが、学術会議が反対した。学術会議会長を54年から58年まで務めた東大の茅誠司学長は強烈な反対運動を展開、これに対して当時若手議員で原子力政策の推進者だった中曽根康弘氏は日本の復興に学術会議は必要ないとして政治的絶縁状を叩きつけた。共産党や民主主義科学者協会に引き回されて大局を見ようとしない左翼の学者などは相手にしないとして、56年に科学技術庁を設置したのだ。これは左翼系科学者集団である学術会議から、日本の学術行政を取り戻すという政治判断だった。

それでも学術界には左翼勢力がはびこっていた。一朝一夕に状況を変えることはとても難しい。とりわけ原子力開発に携った技術者の多くは共産党員であり、彼らと日々、対峙しながら組織を変えようとするのは容易ではなかったはずだ。唐木氏が興味深い体験を語っている。

「私は学生時代に大阪の熊取町にある京都大学の原子炉で実験する機会がありました。そのとき、原子炉実験所の職員でありながら、原発廃止運動を続けている数名のケッタイな助手たちがいることを知りました」

ちなみにその助手たちの一人だったKさんという人物は福島事故のあと、反原発の論客として脚光を浴び、現在も活躍しているという。その他にも原子力開発の企業で働きながら反原発の組合活動に熱心な技術者らにも会ったと、唐木氏は語る。

アメリカの共産主義者の影響と支持を受けて誕生した学術会議は、70年がすぎても尚、左翼思想にどっぷり浸っているのである。

学術会議の会員は前述のように210人、任期は6年で1期のみ、3年ごとに半数を入れ替える。新会員の候補者は学術会議が推薦し、政府が追認する歴史が長く続いた。今回推薦されたのは105人、内、菅首相が任命しなかったのは6名だ。

半数を入れ替えたからといって学問、研究の新気風が巻き起こるかといえばそうではない。推薦者は自分の弟子筋、或いは同系統の学者を推すからだ。真の意味での新しい人材を招き入れる結果には到底ならない。

議論を先に進める前に強調しておきたいのは、学界が自由に発想し、研究し、政府に注文をつけることには大事な意味があるという点だ。研究者が発する批判に政府は一定の敬意を払うべきだとも私は考える。

しかし、前述の歴史から、また後述するさまざまな事例から、学術会議の政府政策への批判は往々にして常軌を逸している。どう見ても日本国民と日本国の為にならない。その場合、政府が修正を求めるのは当然である。学術会議には年間10億円余りの政府予算が注入されており、修正努力は政府の責任でもある。政府による修正には幾つかの方法がある。第一は国民の税金から拠出する学術会議関連予算を削減すること、第二は人事に影響を及ぼすことである。

政府は今回の任命拒否の理由を明らかにしていない。だが、任命されなかった6人の候補者の行動を見ればある程度、推測できる。

## 笑止千万

東京慈恵会医科大学教授（憲法学）の小澤隆一氏と早稲田大学法学学術院教授（行政法学）の岡田正則氏は、日本共産党の研究を専門とする雑誌に1999年9月段階で名前が登場する共産党系の学者である。小澤氏は当時静岡大学助教授、岡田氏は金沢大学助教授だった。

両氏の政治活動の実態は華々しい。以下小澤氏の主たる活動歴だ。
◎2002年5月、「有事関連三法案に反対する学者・研究者共同アピール」に賛同。◎04年6月、「憲法改正阻止・九条の会」に賛同署名。◎15年9月、「安保法制の廃止・反対」に署名。◎16年8月、「安倍9条改憲NO！全国市民アクション」に賛同。◎17年7月、「戦争させない・9条壊すな！総がかり行動実行委員会」に賛同。◎19年6月、「安倍9条改憲NO！全国市民アクション」の会に参加。
小澤氏の極めて活発な政治行動は「赤旗」でも報道されている。氏をはじめ今回任命されなかったのは前述の岡田氏ら6名である。6名全員が15年の「安保法制の廃止・反対」の署名者で、彼らの姿勢は憲法九条擁護という宮澤憲法学の根幹に行きつく。

憲法についてどう考えようと、個々人の自由ではある。だからこそ、個々人の思想を問題視したかのような任命拒否は学問・研究の自由を阻害するものだと、当の学者らが言い、日本共産党も立憲民主党も非難するのであろう。立憲民主党の安住淳国対委員長は「(学術会議は)『学問の世界の国会』と言われている」と語り、志位和夫日本共産党委員長は「学術会議は、日本の科学者を内外に代表する機関だ」と言う。

笑止千万である。東京大学大学院理学系研究科教授（天文学）の戸《と》谷《たに》友則氏は10月2日、「学術会議が『学者の国会』とか『87万人の学者の代表』という言い方はやめて欲しい。学術会議の新会員は学術会議の中だけで決めていて、会員でない大多数の学者は全く関与できないし、選挙権もない」とツイートした。

北海道大学名誉教授の奈良林直《ただし》氏は「学術会議が内外で日本の科学者を代表するというのは虚構にすぎない。彼らの考えに反対する学者は多い」と反論した。

匿名で東京大学理系教授が語った。

「学術会議は特定の学者たちが内輪で人事を回しているにすぎない。それなりの力を持ち、学問研究の世界を動かしているが、特定の集団にすぎない彼らにそんな権利はないはずだ」

## 日本では許されない研究

学術会議は、日本国の87万人に上る学者を代表する存在では断じてない。にも拘わらず、自分たちは日本の学者集団の代表だという誇大妄想に陥っている。彼らの主張はどう考えてもおかしいのだが、その理由のひとつがダブルスタンダードにある。

学術会議は設立間もない1950年に「戦争を目的とする科学の研究には絶対従わない」という声明を発表した。67年にはこれまた「絶対に」という表現を使って「軍事目的のための科学研究を行なわない」という声明を発表した。２０１７年には「大学等の各研究機関」においては「軍事的安全保障研究と見なされる可能性のある研究」は認められないとの声明を出した。考えるまでもなく、軍事研究を禁ずること自体学問・研究の自由の阻害である。また彼らは国内では軍事研究を禁止するが、会員が中国の理系大学や研究所で研究することは何ら禁止しないのである。

中国は「軍民融合」の国だ。民生用技術も軍事に役立てば全て軍事転用する。政府が民間企業に介入できない民主主義国の日本とは異なるのだ。従って中国での理系研究はどんな名目であろうと、およそ全て軍事研究につながると考えるのが常識である。にも拘わらず、学術会議はその会員が中国の大学や研究機関で中国の研究に貢献することには反対もしないし、歯止めもかけない。これこそ壮大なダブルスタンダードである。

11年に学術会議会員になった名城大学教授の福田敏男氏のケースを考えてみる。福田氏は12年に中国の「外国人専門家（外専）千人計画」の一員に選ばれた。千人計画とは中国が海外の理系研究者を高い報酬等で広く集めて科学研究に寄与させる遠大な計画である。

福田氏は13年、軍事研究においても優れた成果を出している北京理工大学の専任教授になった。氏について北京理工大ホームページは「マイクロ・ナノロボットや生物模倣ロボットの分野で卓越した人物」、「00年から北京理工大の黄強教授と協力して研究した」と紹介し、「08年から北京理工大学『特殊機動プラットホーム設計製造科学・技術学科創新引智基地』の海外学術講師、10年には『生物模倣ロボット・システム教育部重点実験室』の学術委員会委員に就任、13年に北京理工大学の専任となった」と明記している。

福田氏がこの間、学術会議の会員になったことは前述した。軍民融合の中国において、福田氏の研究が中国の軍事につながる可能性は全く否定できない。というより、確実に中国の軍事研究につながっている。氏以外にも中国の理系大学・研究機関で、日本では許されない研究に従事している研究者は少なくない。このことに学術会議は全く警告を発しないのである。

学術会議は、菅首相が6人の任命を拒否したことが学問の自由を阻害すると論難するが、学問研究の自由を阻害しているのは彼らの方である。唐木氏の指摘だ。

「どの国でも学問、研究の自由があるのは大学での研究が主です。それ以外の研究にはほとんど学問の自由はありません。たとえば企業研究です。製品開発や安全性研究など、企業が求める研究を企業の資金で行います。政府機関でもたとえば私の専門のリスク管理、リスク評価などの研究があります。これも政府から請け負えば、学問の自由というわけにはいきません。学問の自由が全ての研究にあてはまるというような主張は大きな間違いですし、政府の資金、つまり税金が注ぎ込まれる場合、政府が適切な使用に関する調査をするのは当然です。それに対しても学問の自由を間違って主張する学者がいるのです」

もう一点、はっきりさせておきたいことは学術会議は研究機関ではないということだ。学問の自由は、研究の自由、発表の自由、教育の自由である。学術会議は研究機関ではないために、それ自体、研究も教育もしない。発表はするが、それは学術会議の中の検討事項の発表だけだ。従ってその会員になるかならないかで、その人の学問の自由が影響されるということはないのである。

こうしたことに加えて、学術会議の左翼思想、その結果として日本での研究を厳しく制約し、中国に寛大な姿勢をとり続けることを考えれば、菅首相が彼らの人事を認めないことは当然だ。私はむしろ学術会議は民間組織として生まれ変わる方がよいと考える。

（2020年10月15日号）

## 学術会議の反日、異常な二重基準

日本が普通の真っ当な国家になることは許されないというかのような日本否定の考え方はもう捨て去る時だ。論理矛盾とダブルスタンダードの学術会議を見てつくづくそう思う。

日本の学者・研究者は「戦争を目的とする科学の研究には絶対従わない」、なぜなら日本は過去に軍国主義に走ったから、という学術会議の1950（昭和25）年の「声明」は、日本を占領していた連合国軍総司令部（GHQ）の考え方を反映したものだった。

亀山直人初代会長は53年に吉田茂首相（当時）へ、GHQが学術会議設立に「異常な関心を示した」と書き送っているが、GHQの共産主義者らと呼応したのが、これまで共産主義に傾いていた日本の学者だったことは、前項で指摘した。設立時のGHQの異常な関心は、日本が二度と米国に刃向かえないように、およそ全ての軍事力を殺ぎ落とす役割の一端を学術会議に担わせようとの思惑から生れたものだ。それが前述した軍事研究絶対拒否の誓いにつながっている。

学術会議に相当する世界各国の機関がシンクタンクである。国によって形態は異なるが、強い影響力を持つ米国のシンクタンクは財政的に独立した民間組織として機能している。たとえば米国には科学アカデミーという組織がある。工学アカデミー、医学アカデミーなど多岐にわたるが、研究者や専門家約7000人が名を連ねている。英国には王立協会があり、約1600人の学者が会員登録している。

両者とも政府の研究プロジェクトなどを請けておりそこからの政府資金や補助金も入っているが、予算の大半は民間の寄付である。両者共に年間予算は日本円で3桁の億である。

他方、日本は学術会議の会員は210人、予算は政府頼りで10億円ほどにとどまっている。GHQは米国におけるアカデミーとは真逆の形で民間組織でなく国家機関として学術会議を創ったわけだ。

改めて、学術会議が発表した過去の三つの声明をおさえておく。最初のそれは前出の50年、「戦争を目的とする科学の研究には絶対従わない決意の表明」だった。67（昭和42）年の第二の声明は、「絶対に」という表現で「戦争を目的とする科学の研究」を拒否した。2017（平成29）年の第三の声明は右の二つの声明を継承したもので、次の事例を記している。

## 苦汁を飲まされてきた

「防衛装備庁の『安全保障技術研究推進制度』（2015年度発足）では、将来の装備開発につなげるという明確な目的に沿って公募・審査が行われ」ている。しかし「政府による研究への介入が著しく、問題が多い」、と三つ目の声明は書いている。

ここから想像できるように、政府は安保技術促進制度に関して学術会議に苦汁を飲まされてきた。その当事者でもあった小野寺五典元防衛相が10月9日、「言論テレビ」で語った。

「一度めの防衛大臣の時に、日本の次期戦闘機等、新しい技術の開発は外国の技術に頼るのではなくオールジャパンで進めたい、また、航空機を専門に研究している大学や研究室と共同で行いたいと考え提案しました。ところが大学側は軍事研究は基本的に受け付けないというのです。それどころか日本の大学は防衛大学校卒業生が大学院に入ろうとしても、自衛隊だという理由で入れてくれない。何よりも理解できないのは、中国人民解放軍（ＰＬＡ）の軍歴を持つ中国人を同じ大学院に受け入れ、技術をどんどん教え、垂れ流しているのです。それなのになぜ、日本を守る防衛大生、或いは防大卒の研究者を拒否するのか。不可解な壁が立ち塞がりました」

そこで小野寺氏らは学界と防衛省の垣根を低くしようと考えた。その為に安全保障の技術革新を目的とする公募型の研究ファンドを作り、大学や研究機関の専門家たちに応募を勧め、予算を確保した。再び小野寺氏が語った。

「初めの頃に応募して、いい研究をしていたのが北大でした。ところが学術会議は軍事研究につながるものは許さないと、強硬に出てきました。学術会議にはそれなりの権威がありますから、防衛省の研究費を受けようとした大学の先生方が辞退する例が続きました。納得できないのは学術会議が防衛省の委託研究を禁じながら、米軍の研究費についてはお咎めなしだった点です。大阪大、東京工業大、東北大、京都大などは米軍の研究費を受け入れて成果を出していますが、それらには文句を言わないのです」

米軍の委託研究はよいが防衛省の研究は拒絶せよとは、どういうことか。日本人研究者が日本の大学などで軍事関連の研究をするのは「絶対に」許さないが、その学者が中国に行って軍事につながる研究をすることは全く咎めない構図と同じである。日本国のために研究してはならないが、米国や中国、外国のためならよいというわけだ。こんなことでよいのか。それを仕切っているのが学術会議だ。だからこそ、小野寺氏はこう言う。

「正直、（名称に）『日本』って付けていいのかなと、そう思います」

## 先端産業の主導権

中国人民解放軍の委託研究を受けるには至らないが、中国の理系大学や研究機関に協力する日本人教授や研究者が少なくない中、学術会議は、日本の国益よりも中国の国益を考えていると疑いたくなる意見表明もしている。

そのひとつが国際リニアコライダー（ＩＬＣ）のプロジェクトに関するものだ。同プロジェクトについて20年10月16日の「言論テレビ」で北海道大学名誉教授の奈良林直氏が説明した。

「ＩＬＣのプロジェクトでは超伝導の加速器を使います。電子と陽電子がぶつかると莫大なエネルギーを放出して消滅します。奥羽山脈の麓に20キロメートル規模の長大なトンネルを掘って、その中に直線の加速器を2本並べて、電子と陽電子を加速して衝突させると宇宙創生の1兆分の1秒後くらいのビッグバンの状況が再現されるのです。宇宙創成期の現象が解明できると考えられています。このような国際的な期待を受けて日本主導で研究を進めるはずだったのが、学術会議がこのプロジェクトを支持しないと表明しました」

奈良林氏は学術会議の支持しないという提言を読んで内容を検証した。その結果、学術会議の提言の80％が間違っているというのだ。つまり、現在の学術会議の面々の力では、人類の最先端を行くこの研究プロジェクトの真っ当な審査はできていないということだ。再び奈良林氏が指摘した。

「超電導加速器にはリニアモーターカーをはじめ多くの用途があります。マッハ何十という超高速度を使えば、中国がいま必死に開発して配備にこぎつけようとしているビーム兵器ができます。中国はビーム兵器で他国の、たとえば米国の宇宙衛星を破壊できます。もし中国が国際リニアコライダーのセンターを中国に持っていって、そこで研究を進めさせれば他国の技術を吸いとり、容易にビーム兵器大国となり他国の衛星破壊に踏み出すことも可能になります。ですから、日本が欧米の期待を受けて日本の優れた技術で推進しようとしているＩＬＣプロジェクトに水を差すのは、明確に中国に加担することにもなるのです」

いま世界の素粒子物理学研究の中枢は、スイスとフランスの国境に全周27キロにわたってまたがる地下深くのトンネル、大型ハドロン衝突型加速器（ＬＨＣ）にあると言われる。宇宙の成り立ちの解明につながる純粋科学の研究は超電導技術や、素粒子検出に必要なあらゆる先端技術が凝縮されたもので、この分野を制覇できれば、ほぼ完全に先端産業の主導権を握れる。宇宙そのものの征服にもつながりかねない。だからこそ、中国もこの一大研究に意欲を燃やしている。この研究で成果をおさめられれば、「中国の夢」を叶え、中華民族が「世界の諸民族の中にそびえ立つ」ことができるのである。

一党独裁体制で世界制覇を目指す中国共産党は、このビッグ・サイエンスのプロジェクトに惜しみなく資金を投入できる唯一の存在であろう。対して西側陣営は一国では対抗できない。連携が必要で、日本と欧米が共同プロジェクトとして考えているのが先述のＩＬＣだ。

科学分野での巨大プロジェクトは国と国との関係を左右する。遅れをとれば先んじた国の後塵を拝すのみならず、安全保障上も経済上も従属を強いられかねない。いま米国が国益をかけて宇宙開発に乗り出しているのも、宇宙空間を中国に制覇されてはならないと考えるからだ。

中国はすでに従来の2倍以上の規模の次世代加速器建設を考えており、日本が誘致しようとするＩＬＣ建設は我が国が科学において一流国に踏みとどまれるか否かの岐路である。だが学術会議は30年という長期計画と巨額の資金投下は科学者の代表機関として支持できないというのである。こんな理屈で新しい研究を止めさせようとする学術会議は一体、何なのか。

「学術会議は、人文社会分野までを含む学術団体の推薦者から構成され、最近は仲間内で人選しています。海外の巨大研究機関との連携が弱く、国際プロジェクトを主導する組織力もなく、研究成果の産業界への波及といった活動も活発ではありません。評論家的な立場の所見です」と、奈良林氏は手厳しい。

こんな学術会議に、日本の未来を左右しかねない大プロジェクトを止める資格は断じてないのである。

（２０２０年10月22日号）

【追記】

学術会議について問題提起した菅義偉前首相は、本来なら、学術会議という個別の問題を起点にして、本項もしくは前項で書いた学術会議の存在が象徴する戦後日本の悪しき体制を打破するところまで突っ走るべきだった。平たくいえば学術会議を国が支える組織から民間で自立して存続する組織へと変えることだ。資金は学術会議が寄付などで集め、自立するのがよい。そのうえで日本のためにも世界のためにも役立つ研究などを推奨すればよいのだ。

だが、彼らにはそんな覇気はない。２０２０年10月3日付で彼らは梶田隆章会長名で菅前首相に要望書を出した。①6名の会員候補者を任命しない理由を説明してほしい、②6名を速やかに任命してほしい、という内容だ。続いて21年1月28日付でまたも同主旨の幹事会声明を出している。

政府側が求めている組織の在り方に関する改善案には一行も触れていない。つまり学術会議はこれまでと全く同じ形で存続しようと考えているのである。なんという反省なき人々か。

彼らは政府に、6名を任命しない理由を明らかにせよと言うが、学術会議自体、選考から外れた学者らに対して、なぜ彼らが選ばれなかったのかについては「絶対に開示しない」(唐木英明氏、元学術会議副会長)。

結論を再度強調する。まず、学術会議は民間組織として出直すべきだ。自前の資金を集めて自立せよ。そのうえでなら中国の軍事研究への協力は是とするが日本国の軍事研究は禁止すると主張したければ主張すればよい。

第二に国および政府は学術会議問題の全体像をとらえて、この問題が含んでいる戦後日本の悪しき「反日思想」排除に力を尽さなければならない。学術会議を特色づける戦後70年ほどの歴史を振りかえり、国益を考えての英断に期待する。

# 宗教心なき中曽根元首相の葬送

戦後日本の歴史に大きな功績を残した故中曽根康弘元首相の内閣・自民党合同葬が２０２０年10月17日、東京・港区のグランドプリンスホテル新高輪で営まれた。19年11月29日の死去から約1年後の準国葬である。

亡くなった人をどれだけ心をこめて葬送できるか、どこまで深くその人の想いに共感できるかは、残された功績をどれだけ未来に生かせるか、私たちが未来の道をどう歩むかに関わってくる。その意味で合同葬は自民党の精神の真価を示す機会でもあった。

武漢ウイルスの未だ収まらない中、雨模様も重なってか、広く寒い会場には空席が目立っていた。早めについて着席し、見渡すと、「中曽根行革」が旧来の陋習を破るべく高く旗を立てて社会を揺るがしていた当時、中曽根内閣に深く食い込んでいた兵《つわもの》たち、屋山太郎氏、橋本五郎氏、田原総一朗氏らの姿もあった。

中曽根行革の目玉のひとつが国鉄改革だった。私は旧国鉄を米紙東京支局の助手として取材したが、彼らの顧客軽視、劣悪なサービス、異常な労使関係、不潔極まる列車や駅施設の全てが民営化で一変した。労働組合の中に革マル派系や中核派系の活動家も暗躍していた旧国鉄は闇を暴かれ、分割民営化されて現在のＪＲ各社に生まれ変わった。

中曽根行革は、それを指揮した経団連の土光敏夫会長の質素な生活振りもあり、国民の熱烈な支持を得た。個人の栄耀栄華や働かない労働組合の既得権益のためにではなく、社会・国全体の水準の向上を優先し、国民のためになる事業体に生まれ変わらせようとする中曽根氏の改革努力を国民は後押しした。容易ではない大改革を成し遂げた氏の政治的手腕と叡智、理想追求の熱意を私は高く評価する。

外交における成果も大きい。それ以前は国際社会で存在感を示し得なかった日本が、一人前の国として認められ始めたのも中曽根氏の功績である。私は氏に、国際外交の基本を尋ねたことがある。氏はこう答えた。

「右手に禅、左手に円。日本の精神文化を高く掲げ、日本の強味である経済力と合わせて、国際社会に確かな地位を築きたい」

## 靖国神社を見限った

日本と日本人への信頼を外交の基礎に置き、氏は日本を背負って力を尽くした。日本人であることを誇りとして振る舞った。その面でも中曽根外交は特筆に値する。

そう言いながらも、私には中曽根氏に対する拭いきれない残念な思いもある。戦後40年目の1985年8月15日、靖国神社に「公式参拝」と銘打って参拝し、中国共産党に非難されるや、以降、靖国参拝を完全にやめてしまったことである。この間の事情を氏は後に「靖国参拝をやめたのは、胡耀邦さんが私の靖国参拝で弾劾されるという危険性があったからです」(『天地有情』文藝春秋)と説明している。

胡耀邦総書記は当時中国共産党内部の権力闘争で追い詰められつつあった。日本に理解を示した開明的な胡耀邦氏を守るためとして、中曽根氏は祖国日本に命を捧げた２４６万余の英霊が眠る靖国神社を見限ったことになる。中国共産党総書記の胡耀邦擁護か、日本国に殉じた人々の魂に感謝を捧げ、礼を尽くすための靖国神社参拝か。日本国としての優先順位は余りにも明白だが、中曽根氏はそれをとり違えた。

結論を言えば中曽根氏が靖国神社と訣別したにも拘わらず、胡耀邦氏は失脚した。加えて、以来、日本国の総理大臣の靖国神社参拝は中国によって常に非難される事態となり、首相は自由に参拝できなくなった。私はこの点を、中曽根氏の日本国に対する最大の背信だと考えている。

その点を厳しく指摘しつつ、それでも私は先述の功績も含めて中曽根氏の足跡に敬意を払うものだ。

正負両面ある中曽根氏のための合同葬は丁寧な形で営まれた。

氏の御遺骨は、前後を警護の車に守られ、孫の衆院議員、康隆氏に抱かれてホテルに到着した。陸上自衛隊の特別儀仗隊に迎えられ、御遺骨をおさめた清らかな純白の包みは康隆氏から菅義偉首相を経て儀仗兵に手渡された。捧げ銃の儀仗兵に前後を守られ、御遺骨は瑞々しい生花で飾られた壇上に静々と安置された。

天皇・皇后両陛下、及び上皇・上皇后両陛下はいずれも特使を遣わし、一礼を捧げられた。秋篠宮皇嗣殿下、同妃殿下他、皇室の皆様方は献花なさった。葬儀委員長は菅首相が務め、歴代首相も三権の長も参列した。各国大使も列をなした。

この間、御遺骨は同じ手順を逆に辿って康隆氏の胸に抱かれ、再び前後を儀仗兵に守られながら車に到着した。その一連の動きを会場の私たちは大スクリーンで見た。御遺骨が車に入ると、礼砲が3発鳴り響き、車は静かに滑り出した。

## 献花の「流れ作業」

式典の型はどこから見ても美しく整っていた。その意味で政府・自民党は誠を尽くした。にも拘わらず、会場で感じたのは合同葬全体に心がこもっていないということだった。

なぜだろうか。ひとつの理由は中曽根氏に捧げられた弔詞であろうか。とりわけ三権の長による弔詞は、型を踏まえたものではあろうが、いずれも短く、紋切り型だった。山東昭子参院議長の弔詞は107文字。これが参院の伝統なのだろうか。流石に忍びなかったのであろう。氏は中曽根氏の伴をしてフランスに出張したときの印象を冒頭につけ加え、人間として、また政界の後輩として、中曽根氏を悼んだ。

大谷直人最高裁長官の弔詞も同様だ。1分程度で読み上げられた短い弔詞は官僚的で、好悪も是非もない。言葉の響きは無機質で、この弔詞を一体誰が嬉しく思うのかと、私は疑った。

たしかに前例は大事かもしれず、世間は前例だらけだ。それを踏襲することの重要性も理解できないわけではない。されどされど、どこを触ってもプラスチックのようにツルンとしていて、掌には何も残らないようなこんな送り言葉でよいのかと強く思った。

心がこもっていないと感じたもうひとつの理由は、式典のどこにも宗教の香りがなかったことだ。祈りのない式典だったと言ってよい。三権の長も総理経験者も、末席の私たちも皆、順番に白菊を献花したが、遺影に深々と一礼する人、チョコッと頭を下げる人、色々である。そのような献花の「流れ作業」で式典は終わってしまった。

仏教、キリスト教、神道、何でもよい。その人の生と死を深く受けとめ、人間の存在を超える大きな力ゆえにその人に命が与えられたことに、限りない感謝を捧げる宗教心があってこそ、送ることの意味があるのではないか。人間の生死に対する深い感謝と祈りの心、宗教心を失ったかのような合同葬に、わが日本民族の未来に不安を感じた一日だった。

（２０２０年10月29日号）

## 米大統領選と絡んだ習近平強硬路線

本稿執筆時点で米国大統領選挙の予測はつきかねるが、中国のこれからの世界戦略は２０２０年10月下旬の中央委員会第５回総会（５中全会）で見えてきた。習近平国家主席は恐らく間違いなく、対米強硬策に向かうだろう。

そもそも習氏は５中全会で何を達成しようとしたのか。産経新聞台北支局長の矢板明夫氏は、事前に乱れ飛んだ尋常ならざる量の人事情報から習氏の意図が読みとれるという。

「多くの情報の中で最も注目されたのが、共産党主席ポストの復活と同ポストへの習氏の就任に関する報道。習氏が毛沢東のように全権を握り、あと15年間82歳まで、つまり終身、主席でいたいと考え、世論誘導目的でリークしたと考えられます」（「言論テレビ」10月30日）

毛沢東は①国家主席として国全体を司り、②党中央軍事委員会委員長として全軍指揮の権力を持ち、③共産党主席として党に君臨した。誰も逆らえないオールマイティの権力を握った毛沢東はやがて暴走し始めた。しかし、毛の権限は余りに強くその暴走は誰も止めることができなかった。強すぎる独裁への反省から鄧小平らは党主席ポストを設けずにきた。それを復活させ、習氏は毛沢東になろうとしている。今回、習氏は自分の望む人事を固めきれなかったが、その背景には熾烈な権力闘争があると見てよいだろう。しかし、彼にはあと２回、チャンスがある。

ここで中国の政治の仕組みをみておこう。中国共産党の最高決定機関は党大会で、5年に1度開かれる。党大会が閉幕すると、中央委員会の全体会議がすべてを取り仕切る。中央委員会全体会議は1期ごとに7回開かれる。

まず中央委員会第1回総会（1中全会）が党大会閉幕直後に開かれる。1中全会では党執行部人事を決める。翌年春に2中全会が開かれ、新体制の国務院（政府）人事を決める。3中全会は新政権発足の約1年後に開かれ、主として経済政策を議論する。以降、1年ごとに4中全会、5中全会、6中全会が毎年秋に開かれ、その時々の重要課題が議論される。次期党大会開幕直前に7中全会が開かれるが、そこでは5年間を総括し、次回党大会の準備に入る。

## 大統領選の大スキャンダル

従来のルールでは習氏は2022年の党大会で引退しなければならなかった。だが、氏がその先も、また更にその先も国家主席として君臨する野望を抱いているのは明らかだ。

中国共産党のトップ人事に関するルール変更という大それた野望は、今回は実現しなかった。しかし、この後の6中全会、7中全会を利用して一歩ずつ進むことも可能だ。

習氏が戦っているのは国内の反習近平勢力だけでなく、アメリカでもある。習氏の直近の動きを見ると、対米融和路線と対米強硬・中国自立経済路線の間で大きく揺れたのが見てとれる。敢えて大枠でいえば、鄧小平路線か毛沢東路線かである。

矢板氏の説明だ。

「10月14日、習近平氏は深圳経済特区設置40周年を祝って深圳を訪れ、改革開放の指導者、鄧小平の銅像に献花しました。まるで鄧小平路線を継承すると宣言したかのようでした。深圳にはその後も2～3日とどまる予定だったと言われていました。しかし、突然、北京に戻ったのです。そして異常なことが起きました。16日からの1週間で、常務委員会を4回も開いたのです」

常務委員会は日本の閣議に当たる。通常、週に1回程度開催されるが、たて続けに4回開かれるのは極めて異例だ。

習氏が北京に戻ったのは、米国の大統領選挙に関連する大スキャンダルがメディアに報じられる直前だった。民主党大統領候補・バイデン氏子息のハンター氏にまつわるスキャンダルの証拠が、メールや音声や映像の形で残っているコンピュータがFBIの手に渡り、内容が報じられたのだ。このスキャンダルには、ハンター氏と人民解放軍や中国の情報機関との間で交わされた取引情報に加えて、破廉恥なビデオ映像も含まれていたという。

鄧小平の像に献花した段階では、習氏はバイデン優勢と見て、次期バイデン政権とは中国の情報機関が撮ったと思われるビデオなどをネタに、取引しようと考えていたのではないか。だが、情報が曝露されてしまえば、取引のカードはなしだ。それどころか、バイデン氏は子息をこんな形で追い込んだ中国に凄まじい怒りを抱くに違いなく、トランプ大統領以上に中国に強硬になりかねない。

「習氏は大急ぎで北京に戻り、会議を重ね、米国には対決姿勢を取ると決めたと思います。経済では米国にも国際社会にも依存しないとして自力更生路線を強く打ち出しました。米国との関係修復は当分ないと見る理由です」と、矢板氏。

## 工作員が暗躍

ハンター氏のスキャンダル曝露の背後にはインテリジェンスの世界の恐ろしい闇がある。一体どの国のどの勢力がハンター情報を曝露したのかは分からない。その中でロシア或いは中国が疑われている。

まず中国だ。ハンター氏を貶める情報の中には、中国でなければ知り得ない中国企業とのやり取りの詳細が含まれていたという。当然、反習近平側から出されたはずだ。バイデン氏を貶め、トランプ氏に勝たせて習氏の力を殺ぎたい勢力だと考えられる。

ロシアの工作員ならトランプ氏に勝たせる為の工作だろう。トランプ氏に中国と戦わせて、その間にロシアは世界で好き勝手にできる。

無論、その他にもさまざまなケースが考えられる。米国大統領選を舞台に世界中の工作員が暗躍しているのだ。中国もロシアも当のアメリカも、血眼になって自国の利益を守ろうと戦っている。まさに戦争である。

習氏が拘った国防法の改正からも、対外強硬路線が見えてくる。「中国の発展の利益が脅かされた場合、全国総動員または一部の動員を行う」、「国家の海外での利益を守る」などの条文が入った。

同改革案は間違いなく法制化される。その場合、たとえば中国がまだ作れないＩＣチップを特定の国が輸出禁止にした場合、中国の利益を損なうとして内外の中国人に総動員をかける、つまり戦争を仕掛けることもあり得るということだ。

日本では非常に広大な土地が中国人に買われている。豪州の事例に見られるように、国土を売ることはとても危険だ。敵対国に対してでなくとも、国土を売ることは国を売ることだ。日本国民として、北海道や沖縄の土地の、中国人への売却は、ある意味、許されてはならないことなのだ。もし日本の土地を買った中国人の国土利用を日本政府が制限する場合、中国の利益を損なうという理由で中国政府が自国民を決起させることも可能になる。この法改正によって恐ろしい事態が発生する可能性も否定できない。習近平体制が前例のない強硬路線を突き進もうとしているのが見える。

（2020年11月12日号）

# 第4章　真の独立国たれ

## 尖閣で試される菅首相の気概

中国共産党政権は世界の混乱が大好きだ。その機に乗じて目標を達成するのが得意だからだ。相手が事態の急変に対応できない時を絶好の機と見て襲ってくる。

米国はいま、大統領選挙を巡る混乱の極みにある。世界の耳目も米国の迷走に吸い寄せられている。中国が挑戦的行動に出ても米国の対応能力は低いままだ。中国が狙い定める尖閣諸島に手をつける可能性も高まる。

離島・海洋問題に詳しい東海大学教授の山田吉彦氏は、尖閣の危機はこれまでになく深刻だと警告する。

「中国は尖閣奪取の法的・軍事的準備を完了しています。このままでは、わが国の領土が奪われます。危機は目前です」

中国は2020年10月末に全国人民代表大会（全人代）で国防法改正案を提示した。「中国の発展の利益が脅かされた場合、全国総動員または一部動員を行う」、「国家の海外での利益を守る」などの条項を加えた。領土や安全が損なわれる場合だけでなく、経済的利益が脅かされる場合も、戦争に踏み切ると宣言したのである。

右の国防法改正案は果てしない拡大解釈が可能な危険な内容だが、全人代はさらに、11月5日までに海警局の権限を強化する海警法案も発表した。こちらは国家の主権や管轄権が外国の組織または個人に侵害されるとき、海警局所属の隊員、艦船、航空機の全てに武器使用をはじめあらゆる必要措置を取らせるというものだ。

即ち外国船が管轄海域で違法行為に及んだ場合、海警局所属の全部門に武器使用が許される。尖閣海域での日中の対立に当てはめれば、日本と全面的に戦う法的準備を中国は完了したという宣言だ。

中国は、海上保安庁の尖閣海域での活動を中国の国家主権への侵害だと見る。海保が中国公船に領海から退去せよと指示すれば、それも違法行為だと彼らは見る。

## 「実力行使しかありません」

改正国防法及び海警法はどちらも国際社会には通じない中国の身勝手な法律だが、彼らは両法を海保への武力行使の法的根拠とするだろう。海保の後方に控える海上自衛隊が介入すれば、海自への空からの攻撃の根拠ともするだろう。中国は正に自分たちの価値観で国際秩序を作る気なのだ。中国問題の専門家、矢板明夫氏は語る。

「もし、中国政府が日本国政府に、尖閣海域から退却しない限り、海保、或いは日本漁船を武力攻撃すると通告したら、どうなるでしょうか。海保にも漁船にも死者が出る可能性に日本は耐えられるでしょうか。戦っても中国に勝てないと判断すれば、日本は退却するのではないか。中国は法律ひとつで脅しをかけ、尖閣を手に入れるということです」

日本の領海に中国船が居座ることが常態になって久しい。だが、野党はそんなことにお構いなく、国会でいまも学術会議問題の重箱の隅つつきにうつつを抜かしている。片や与党・政府は「中国海警局の動きについては引き続き高い関心を持って注視する」「尖閣諸島は歴史的にも国際法上も疑いのない、わが国固有の領土であり、有効に支配している」などとお経の如く繰り返す。日本の政治家があらゆる意味で中国に見くびられる理由である。

尖閣諸島を管轄する沖縄県石垣市の中山義隆市長は訴える。

「中国船の領海侵入は毎日引きも切りません。米国の混乱が続くと中国が間隙を縫って行動を起こすでしょう。日本漁船が日本の海で中国軍の発砲を受けたりしたら、尖閣諸島も海も日本領だというわが国の主張は木っ端微塵です。取るべき手立ては明らかです。中国公船の尖閣侵入を一切、許さないことです」

たとえば中国公船を海保の船で取り囲んで近づけないようにすべきだと、中山氏は言う。しかし、海保手持ちの尖閣専従の巡視船は１０００トンクラスが12隻だ。安倍政権下の16年12月、政府は尖閣諸島周辺海域での中国の攻勢を受けて海保の体制強化に乗り出した。現在日本が保有する１０００トン以上の巡視船は69隻である。これを24年度までに77隻に増やすことになっている。だが、中国海警局は76ミリ大型砲を備えた５０００トン級を中心に１３０隻、その多くは事実上軍艦である。明らかに中国は日本の動きも見ながら、日本以上のペースで船を建造し続けている。

彼我の力の差が開く中で海保は12隻の内４隻を海警局の４隻に対抗するため海に出してきた。別の４隻は出動準備、残り４隻は待機する体制だ。しかしいま、尖閣の現場は大変な状況だと山田氏が警告する。

「中国は日本の足下を見て、８島ある尖閣諸島の内の大正島と魚釣島に海警を出してきました。

そのため海保は8隻を海に出し、残る4隻は出動準備中です。海保は船も人員も一日も休ませる余裕がありません」

海警の艦船を海保の船で取り囲む余力はない。中山氏が強調した。

「ですから、島に日本人が上陸して中国人を上陸させない方法しかない。私たちはずっと前から政府にそのように要請してきました。石垣市は①環境調査、②漁業者のための灯台の整備・維持、③気象観測、④無線中継局の建設、⑤人員の配置、を求めてきました。島を守るには上陸する、実力行使しかありません」

## 守る力が欠落

中山氏の訴えは悲愴である。だが悲愴な訴えを発し続けているのは石川県漁業協同組合小木支所に所属する坂東博一氏も同じだ。坂東氏は日本海が事実上中国と北朝鮮に奪われてしまっていると厳しい現実を語る。

「水産庁から9月30日、最良の漁場である大和堆を含む広い海域で漁の自粛を要請されました。事実上の命令です。イカ漁の最盛期に出漁できないため、ほとんどの漁民は赤字経営です」

自粛要請は10月28日から29日にかけて8割方、解除され、漁民の皆さんは早速漁場に向かった。そこで驚くべき光景に出くわしたという。

「中国漁船が１０００トンクラスも含めて数百隻もいたのです。大型が数百隻ですよ。我々のイカ釣り漁船は日本の法律で１９９トン以下と決められています。多勢に無勢。強力に非力。彼らの中に割り込んで漁をするなど考えられず、空《から》で戻ってきました」

実は同じことが19年にも起きていた。8月23日、海保の巡視船が大和堆周辺で北朝鮮の船に銃口を向けられ「即時退去」を要求された。水産庁は驚き、なんと、漁協に自粛要請をした。大和堆は日本の排他的経済水域の内にある。外国漁船の漁は国際法違反だ。にも拘わらず、政府は北朝鮮や中国の漁船を取り締まるかわりに、日本の漁船に漁を諦めろというのである。水産庁には外国漁船を取り締まる力がないのである。海保に委ねるにしても海保は尖閣諸島で手一杯で余力がないのである。

尖閣の海も日本海も、日本には守る力がない。米軍の支援があれば守りようもある。しかしもはやそんな時代ではない。いま問われているのは日本国に国として領土防衛に立ち上がる気概はあるのか、という点だ。中国は日本の意志を見極めようと、凝《じ》っと見ている。菅義偉首相よ、中国に日本の気概を示し、力で守る構えを作れ。でなければ菅氏は歴史に不名誉な名を残すことになる。

（2020年11月19日号）

**【追記】**

海上保安庁は2021年11月にも6500トンでヘリコプター搭載型の大型巡視船「あさづき」を尖閣諸島の海上警備用に配備することになった（「読売新聞」8月19日夕刊）。21年8月現在、あさづきは試運転中である。6500トン級の大型巡視船は鹿児島海上保安部に4隻配備されており、あさづきで5隻目となる。

中国海警局の船は4隻が一組となって尖閣諸島の接続水域で航行するのが常態化している。21

# 新潮社
# 新刊案内

2021 10 月刊

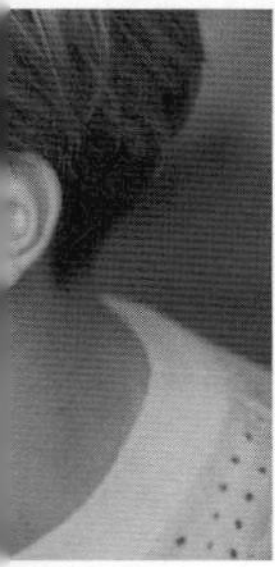

■新潮クレスト・ブックス

# 冬

かつて事業で成功したが今は孤独な女性の元に、息子が移民の恋人と一緒に現れた――英文学の旗手が贈る当世版クリスマス・キャロル。

アリ・スミス
木原善彦［訳］
10月29日発売●2530円
590175-2

# 亡国の危機

コロナ禍で混乱する日本、無礼な隣国、そして激化する米中の覇権争い――。国難を乗りきり、日本が世界をリードする方策を提示する。

櫻井よしこ
10月15日発売●1870円
425317-3

◎著者名下の数字は、書名コードとチェック・デジットです。ISBNの
◎ホームページ https://www.shinchosha.co.jp

年は8月18日時点で海警船の航行日数は２１２日、昨年を上回るペースである。

あさづきの建造には約２００億円が必要だという。中国の脅威がますます深刻になっているいま、日本を守るために必要な装備は、なんとしてでも揃えなければならない。防衛予算を目に見える規模で増やして海保と自衛隊の強化を急ぐべきだ。

## バイデン政権、上院次第で機能不全に

米大統領選挙の結果は、米国が「一国二国民」（米外交問題評議会会長、リチャード・ハース氏）であることをはからずも露呈させた。

外交問題評議会は議会関係者や国際政治・安全保障の専門家にとって必読誌とされる「フォーリン・アフェアーズ」の発行元である。その会長であるハース氏は9・10月号の同誌に「分裂のさ中で――トランプは如何にして米外交政策を破壊したか」を書いた。

トランプ氏に対する感情的反発が表現の端々にまで噴出した内容だったが、氏の指摘する「一国二国民」は米国の現状を象徴して巧みである。しかし実は、米国民は二分どころか四分五裂されているのではないか。

大統領選挙は2020年11月13日に全州の開票が終了し、バイデン、トランプ両氏の選挙人獲得数は306人対232人となり、一応バイデン氏勝利となった。「一応」と留保したのは、トランプ氏がバイデン氏の勝利は選挙の不正によってもたらされたと主張し法廷闘争を続けているからだ。

トランプ氏の挑戦が続く一方、最大の争点は21年1月5日の再投票で決着する上院の2議席の行方に移ったと見てよいだろう。上院全議席100の内、共和党はすでに50を固めた。残るジョ

ージア州の2議席の内、ひとつでも取れば議会運営の主導権は共和党が握る。民主党圧勝の予想に反して共和党多数となれば、ホワイトハウスを失ったとしても、大統領選挙の勝者はトランプ氏の共和党だと言ってもおかしくない。この点を含めてトランプ氏の功績は正しく評価されるべきだろう。

米国の国内問題で見れば、トランプ氏はバイデン氏より少ないとはいえ、7100万票以上を獲得し、共和党の支持基盤拡大に貢献した。アフリカ系米国人、ヒスパニック系米国人の支持も各々、8％から12％、28％から32％へと前回よりかなり増えた。武漢ウイルスで大きく後退したが、経済成長は著しく、20年10月の失業率は6・9％まで大幅に低下した。武漢ウイルスの犠牲者が24万人に達する中での、アフリカ系、ヒスパニック系の支持拡大の理由は経済の好調振りにあっただろう。

## 極端な社会主義者

氏の最大の功績として歴史に残ること必定なのは、最高裁判事の人事である。日本では私を含めて国民が最高裁判事の人事に大きな関心を持つことはない。しかし、米国では法を基本としながらも、判事の価値観が判決を下す際の重要要素となる。

トランプ氏は第一期の4年で保守派のゴーサッチ、カバノー、バレット三氏を任命、判事9人の内6人を保守派で固めた。最高裁判事の任期は終身であるため、これから少なくとも数十年、米国社会の規範は保守派の価値観を体現するだろう。判事任命の仕組みを活用すれば二世代、三世代、即ち百年単位で保守派が社会の価値観設定を主導できるといってもよい。このような人事を決断・実行したトランプ氏の共和党が予想に反してはるかに善戦した。米国民の動向を判断するうえで重要な点だ。

国際社会におけるトランプ政権の貢献の筆頭は、専制独裁ファシズムの中国に異を唱えたことだ。力を背景に膨張を続け、世界に中華秩序を確立しようとする中国共産党の前に立ち塞がった功績は計りしれない。

バイデン民主党政権はトランプ氏が確立した価値観の修正にとりかかると見られている。そのような場合、バイデン氏はどれだけ問題解決能力を発揮できるだろうか。氏が直面する第一のハードルが前述した上院の壁である。共和党が過半数を制した場合、バイデン氏は閣僚人事をはじめ予算案などで大幅譲歩を迫られ、党内左派の要求に応じられない可能性がある。

米有力紙「ウォール・ストリート・ジャーナル」が11月9日の社説で興味深くも指摘したのは、共和党による上院の過半数獲得こそバイデン氏にとって好都合だという点だ。

周知のとおり、民主党の大統領候補選びは最後までバイデン氏とサンダース氏の激しい争いでもつれた。サンダース氏は自身を民主社会主義者と呼ぶが、実際にはもっと極端な社会主義者である。シンクタンク「国家基本問題研究所」研究員で福井県立大学教授の島田洋一氏は『3年後に世界が中国を破滅させる』(ビジネス社) でサンダース氏の実像を描いた。

島田氏はサンダース氏が民主党は右寄りすぎるとして党籍を取っていないことを指摘する。徹底した環境主義者で反炭素主義者だ。石油・石炭・天然ガスから速やかに脱却し、太陽光、風力中心の再生可能エネルギーへの完全転換を主張する。

## 米軍派遣に強く反対

外交・安保政策では徹底した非介入主義者で、仮にサンダース氏が大統領に就任していれば、尖閣が有事になった際、米軍派遣に強く反対するのは間違いないだろう。日本にとって大変な事態だ。中東を起点とする石油輸送ルートは米軍が防護しているがこれも直ちに止めよと主張するのも予想できる。石油の9割を中東に頼る日本にとってこれも深刻だ。

このような環境重視、非軍事、非介入政策に加え、最低賃金として時給15ドル政策を民主党の公約にするとしたサンダース氏は、若者たちの熱狂的支持を受けた。しかし社会主義政策ばかり推進しようとするのでは全米各層全人種の支持獲得は不可能だと説得されて、氏はバイデン支持に回った。それによってバイデン氏の勝利がもたらされたと言ってよい。バイデン氏がサンダース氏ら左翼陣営の政策を無視できないゆえんだ。

上院議員から副大統領となるカマラ・ハリス氏は、上院議員100人中一番の左翼と評されている。彼女の外交や安全保障政策の全容はまだ見えない。というより、氏はこれまで外交や安全保障についてほとんど語っていない。そうした中で氏が語るのはたとえば、「米中は環境政策で協力できる」など、大枠の話ばかりだ。中国を巻き込んで環境問題を改善していくことは当然で重要だが、環境大国は中国ではなく日本であり、しかも日本は同盟国だ。オバマ政権時代に日本の頭越しに中国に傾いた米国の悪癖を連想するのは、日本人として自然な反応であろう。

バイデン氏が重用しかねないのがスーザン・ライス氏だ。オバマ政権時代に重職の安全保障担当補佐官を務めた。彼女は北朝鮮の核ミサイル保有を容認し、北朝鮮と平和共存の道を探るべきだと主張する。

当のバイデン氏はオバマ政権の副大統領だったとき、オバマ氏に輪をかけて軍事行動の回避に努めた。一例がアルカイダの指導者、オサマ・ビンラディンの殺害である。失敗した場合の政治的打撃を恐れて最後まで反対したのがバイデン氏だった。オバマ政権の国防長官、ロバート・ゲイツ氏はバイデン氏を、「裏表がない人物」としながらも、「過去40年間、ほとんどあらゆる主要な外交安保政策について判断を誤ってきた」と回顧録に記した（『イラク・アフガン戦争の真実』井口耕二他訳、朝日新聞出版）。

米国は確実に変化し続ける。中国がそこにつけ込む。日本を守るのは日本でしかない。強く覚悟して、万全の備えを築くのが唯一の道だ。


（２０２０年11月26日号）

## 官邸に乗り込んだ韓国高官の赤い影

政治が激しく動くとき、怪しい勢力が暗躍するのは世の習いだ。

２０２０年11月8日に来日した韓国の国家情報院（国情院）院長、朴智元《パクチウォン》氏はその典型である。

朴国情院長は4日間滞在し、まず二階俊博自民党幹事長、次に菅義偉首相に面会した。

国情院が韓国の情報機関であることは、今更言うまでもない。インテリジェンス機関は、合法非合法を問わず、情報の収集分析で国益につなげる組織で、別の言い方をすれば、スパイ集団である。そのトップが他国の首脳に会うとき、通常は秘密裏に行動する。ところが今回、朴国情院長は、官邸側が裏口からの来訪を検討したにも拘わらず、正面玄関から入り、会談後に記者団の取材に応じてみせた（「毎日新聞」11月12日朝刊）。

氏は何者か。11月20日の「言論テレビ」でシンクタンク「国家基本問題研究所」研究員の西岡力氏が以下のように説明した。

氏は韓国全羅道出身で金大中元大統領の同志だった。金大中政権で観光大臣に就任、この頃に、日本の観光業界の実力者、二階氏との親交を持ったといわれている。

朴氏は金大中の密使として北朝鮮と裏交渉を行い、２０００年6月の金大中・金正日の南北首脳会談を実現させた。そのとき金大中側が4億５０００万ドル（当時のレートで約４９５億円）の現金と5000万ドル（約55億円）相当の物資を金正日に貢いだ。

西岡氏の指摘だ。

「朴智元氏の北朝鮮の交渉相手は対南工作機関の統一戦線部と見られています。金大中一行の平壌入りの映像には朴氏が金正日から耳打ちされている場面があります。彼が行った工作とは、金と物資を北の39号室、つまり金正日の対南工作の中枢機関で、韓国制圧を目指して長年凄まじい攻勢をかけ続けた機関に送ったということなのです。韓国への裏切りですから、後に一連の悪事が明らかになって、有罪判決を受けて収監されました」

ちなみに二階氏は08年4月22日に自身のブログ「がんばってます」で、収監され、病気療養で刑の執行が停止された朴氏を見舞ったこと、運輸大臣だった当時、朴氏との間で「兄弟の契り」を結んだことを書いている。

義兄弟の面目躍如か、19年8月19日、朴氏が文喜相国会議長の特使として来日した際、朴氏は二階氏と5時間以上会談している（「産経新聞」19年8月21日朝刊）。

## 2750億円の秘密文書

朴氏は金大中の系譜でありながら文在寅大統領らとは折り合いが悪かった。理由は朴氏が裏金献金工作の責任をとらされて獄に下ったとき、盧武鉉大統領は守ってくれず、文在寅氏は朴氏の選挙地盤である全羅道を乗っ取ろうとしたからだ。ところが20年7月、文氏はそれまでの国情院長、徐薫《ソフン》氏をスライドさせ、朴氏に頭を下げて国情院長就任を要請した。

「統一日報」論説主幹の洪熒氏が説明した。

「朴智元は複雑な人生を歩んできました。彼の父もその兄弟も日本統治時代にスターリンの指令で創られた南朝鮮労働党という共産主義革命党の党員でした。日本の敗戦で米軍が朝鮮半島に入ると彼らは獄中にあった共産主義者を全て解放しました。朴の家族は南朝鮮労働党の党員になりましたが、１９５０年に朝鮮戦争が勃発すると、父もその兄弟も韓国軍に処刑されたのです。彼は韓国を深く恨んでいると思います」

朴氏はその後米国に渡り、全斗煥政権当時、米国で事実上の亡命生活を送っていた金大中と知り合った。その後の両者の歩みは前述した。

朴氏の国情院長任命に戻ろう。国会での人事公聴会で金大中・金正日会談に先立って、朴氏が4億５０００万ドルの現金とは別に、25億ドル（約２７５０億円）の対北経済協力の秘密文書に署名していたことが判明した。西岡氏の説明だ。

「署名の筆跡は本人の自筆に間違いないと鑑定されましたが、本人は知らぬ存ぜぬで通しました。文氏は疑惑に蓋をしたまま、２０２０年7月末に彼を国情院長に任命したのです。すると何が起きたか。南北朝鮮関係が劇的に改善されたのです」

たとえば9月8日、文氏が北朝鮮の災害について見舞いの手紙を出すと、4日後に「大韓民国大統領文在寅貴下」という宛名の返事が来た。

北朝鮮は元来、大韓民国を認めず、いつも南朝鮮と呼ぶ。だから文氏はへりくだって、18年9月、初めて平壌を訪問したとき、「南側の大統領文在寅です」と自己紹介した。だが今回、金正恩氏が「大韓民国大統領貴下」と書いてきた。驚くべき豹変である。

9月22日、韓国の公務員が海上で北朝鮮軍に殺害され遺体を焼かれた。すると3日後、金正恩氏の謝罪文を朴智元氏が受け取った。

何故急変したのか。韓国情報機関のトップとしてあらゆる秘密情報を手にする立場に立った朴氏を活用して、韓国を手玉にとれると金正恩氏が考えたからではないのか。朴氏の動きはおよそ全て北朝鮮の利益をはかるためと考えておくべきで、その画策は対日政策にも深刻な影響を及ぼすだろう。朴氏の背後の勢力と見られる北朝鮮の統一戦線部は朝鮮総連の上部機関だ。その朝鮮総連幹部が足しげく二階氏の幹事長室に出入りしていること自体、危険なことであり、深く懸念される。

## 最も危険な人脈

西岡氏が語った。

「これまでは安倍前総理が北朝鮮外交を指揮していました。菅政権下で二階氏の発言力が強まったらどうなるか。『義兄弟』と言われる情報機関の長とどんな話をしたのか。私には分かりませんが、『朝鮮日報』は東京五輪に合わせた日米南北朝鮮の4首脳会談を画策したと報じました」

菅首相は安倍晋三前首相と同じく、拉致問題解決を最優先し、金正恩氏との直接会談を考えている。朴国情院長が、金氏への太いパイプがあるという触れ込みで接触してきた場合、菅首相がその話に乗る可能性はあるかもしれない。しかし、西岡氏はそれこそ最も危険な人脈だという。

「朴氏がつながっている統一戦線部は、横田めぐみさんらは死亡と言い、偽の遺骨を出してきた機関です。日朝の交渉は統一戦線部を外して首脳同士が会い、被害者の全員帰国に向けて直談判しなければなりません。統一戦線部に任せれば、もう一度、死亡説を主張され、日本側が納得しないなら合同調査委員会を作ろう、東京と平壌に連絡事務所を設置しようと言い始めるでしょう。これまでの失敗の繰り返しになります」

経済制裁で疲弊しきった金正恩氏が統一戦線部の戦略に沿って、二階氏の巻き込みを図り、制裁の輪を緩める脱出の道として日本に狙いを定めた可能性がある。思惑があるため拉致問題が動く可能性もある。だが、経済支援だけ言質をとられ、核もミサイルも開発され、拉致被害者は戻ってこないという失敗を繰り返さないために、菅首相にはしっかりしてほしい。朴智元氏のような人物を、日本政府はもっと厳しくスクリーニングする必要があろう。

（2020年12月3日号）

**【追記】**

2021年7月23日、日本は東京五輪開催に漕ぎつけた。武漢ウイルス禍の中ではあるが、開会式は本当にすばらしかった。日本らしい繊細で美しい開会式で、よくここまできたものだと、ひとしきり感動した。韓国の文在寅大統領は最後の最後まで開会式に来たい、菅義偉首相と実質的な首脳会談をしたいと熱望していた。結局、来日は取り止めたが、文氏の狙いを理解するには、20年11月の朴智元国家情報院長の動きの検証が必要だ。

北朝鮮と通じているどころか、北朝鮮の手先だと考えておくべき朴智元氏は20年11月の来日時、二階俊博自民党幹事長らに、東京五輪に合わせて文在寅大統領が来日し、菅義偉首相と首脳間宣言を出して関係改善をはかりたいと提案していた（「中央日報」20年11月11日）。これは1998年に金大中大統領と小渕恵三首相が「日韓共同宣言――21世紀に向けた新たな日韓パートナーシップ」を発表して両国の関係改善がはかられた事例に学ぼうとする試みだった、というのだ。

しかし、20年11月段階でも、また21年春以降五輪開催に至る期間も、日本側の対韓方針は一貫している。慰安婦問題でも戦時朝鮮人労働者問題でも、日韓間に問題をひきおこしたのは韓国側であるという日本政府の立場は全く変わっていない。戦略物資の輸出を他の多くの国と同じ基準にして韓国をホワイト国という特別待遇から外したのも、韓国側に問題があったからだ。日本政府はこうしたことを、朴氏にもきちんと伝えたと思われる。

当時韓国外相の康京和氏は朴智元氏の日本での動きについて、「外交部（外務省）としては十分に協議した状況ではない」と語っている。つまり韓国外務省の頭越しに朴智元氏が勝手に動いたと言っているのである。

日本政府は朴智元氏が提案した日韓首脳による宣言の発表で問題が片づくなどとは考えていない。そのことは韓国外務省も理解している。理解していないのは文在寅大統領であり、文氏にミッションを託され、自身の工作能力を過信している朴智元氏の方なのだ。

ではなぜ、文氏は日本に接近するのか。本来、氏の基本姿勢は反日である。にも拘わらず、なぜ氏が、人が変わったように日本接近を試み、五輪をきっかけに日韓協力体制を築こうとするのか。理由はひとつであろう。22年3月9日には大統領選挙が行われ、文氏は退任する。氏が刑務所行きを逸《のが》れる手はただひとつ、南北朝鮮の統一に向けて大きく前進してみせることだ。その結果、ノーベル平和賞でももらえれば、誰も退任後の文氏に咎めの言葉を投げつけたり、あらぬ疑惑を捏造して逮捕したりすることはないだろう。

日韓関係を改善して、文氏自身が日朝関係を取りもち、日本政府から兆円規模の資金を北朝鮮にもたらせば、北朝鮮も文氏を認め、南北朝鮮の統合も進められると考えている節がある。文氏はいまや、金正恩氏からは相手にされず、バイデン米大統領の信頼も失っている。習近平主席にこれ以上膝を屈するのは、韓国国民の反発は余りに強い。結局、日本ならば何とか説得できる、とりわけ自民党には二階氏ら親北朝鮮、親韓国の日本人らしくない政治家がいる。それを利用しようという魂胆であろう。騙されなかった菅前首相は立派である。

日本人は人を信じ易く騙され易いといわれるが、一旦物事を理解して相手の正体を見たら、もう騙されはしないのである。日本や日本人を騙そうとする内外の人士たちはそのことをよく認識しておくことだ。

## 米新政権下、日本の気概が問われる

米国大統領選挙の結果はまだ正式には確定されていない。とはいえ、ジョー・バイデン前副大統領は人事を筆頭に政権構想を次々に発表し始めた。他方、トランプ大統領は選挙での不正投票を巡る法廷闘争に関して弱気に転じており、巻き返しの見通しは明るくない。

この間の2020年11月12日、菅義偉首相はバイデン氏と電話会談をし、バイデン氏は尖閣諸島に日米安保条約第5条を適用する旨語った。同件は日本では大きく扱われたが、バイデン氏側の発表文には尖閣の文字はなかった。

明らかにバイデン氏が中国に遠慮したのであろう。中国が弱小国を脅かし領土や島を奪うことに明確に反対し、中国の圧力下にある国々を護ると、ポンペオ国務長官は明言した。このトランプ政権の対中政策と対照をなすかのようなバイデン氏の対中配慮である。

菅・バイデン対話のもうひとつの重要点は「インド・太平洋戦略」に冠《かぶ》せた形容詞だ。バイデン氏は菅首相に「安全で繁栄するインド・太平洋」と語った。韓国、豪州、インドの首脳にも同じ表現を使っている。

「安全で繁栄する」は中国が使う表現で、「自由で開かれた」とは全く異なる意味が込められている。中国には「A2AD」(接近阻止・領域拒否)という戦略がある。南シナ海も西太平洋もインド洋も中国が席巻する海とし、米国の進入を防ぎ自由な航行をさせないのがＡ２ＡＤ戦略だ。中国は「自由で開かれた海」に反対なのである。インド・太平洋を中国が主導し、その限りにおいて安全が担保されての繁栄こそ望ましいと考えるのが中国だ。

中国の思惑そのものの表現をバイデン氏は各国首脳との電話会談で使ったことになる。バイデン氏は選挙戦でも、「２０２０年民主党プラットフォーム」でも、「自由で開かれた」「インド・太平洋戦略」という表現は全く使用していない。氏は安倍・トランプ両氏のインド・太平洋戦略を変えるつもりだと見られているのは、こうしたことがあるからだ。

## 拉致問題に冷淡

安倍前首相は07年8月にインドを訪れて「二つの海の交わり」というすばらしい演説をした。太平洋とインド洋を、従来の地理的境界を突き破る拡大アジアの戦略的舞台ととらえ、二つの海を「広々と開き、どこまでも透明な海として豊かに育てていく」という構想だ。日本とインドにはその構想を実現する力があり責任もあると強調する内容だった。

それから5年後、第二次安倍政権発足直後に、安倍前首相は「民主的安全保障のダイヤモンド構想」を発表した。インド・太平洋域内の民主主義国家の協力こそ大事だとして、豪州、インド、日本、米・ハワイがダイヤモンドの形を作ってインド洋から西太平洋に広がる公共の海を守るという戦略だ。安倍前首相のこの一連の考えから「自由で開かれたインド・太平洋構想」が生まれた。

同構想は13年9月に習近平国家主席が打ち上げた「一帯一路」構想への対案となり、やがてトランプ政権が米国の戦略に取り入れた。トランプ氏は17年11月、ベトナムのダナンで開催されたアジア太平洋経済協力会議（ＡＰＥＣ）で右の戦略を正式に発表した。

安倍・トランプ両政権の推進するインド・太平洋戦略を貫く考えは、両地域は世界経済の最大の原動力で、インド・太平洋の平和と繁栄に全世界の利害関係がかかっているからこそ、二つの海は自由で開かれていなければならないというものだ。地政学的にインド・太平洋の中心は南シナ海である。その南シナ海を自国領として力で現状変更を迫る中国への、強烈な対抗の枠組みがインド・太平洋戦略なのだ。

しかし、前述のようにバイデン氏の政策構想からは「自由で開かれた」という表現の一切が消えている。

バイデン氏は「フォーリン・アフェアーズ」誌の20年３・４月号に「なぜ米国は再び主導しなければならないか」と題して寄稿し、トランプ氏は民主主義も同盟関係も破壊したなどと厳しく批判した。バイデン論文の特徴は米国に対立する国として中露両国を論じながら、ロシアに厳しく、中国に寛容なことだ。

ロシアを侵略勢力と呼び、同盟国共々軍事力の強化を含めて多様な対抗手段を講ずるべきだとする。他方中国は経済・貿易面での競合による知財窃盗を批判しながらも、気候変動などで協力すべきだと説く。

バイデン氏が副大統領として仕えたオバマ政権をつい想い出す。オバマ政権は拉致問題に冷淡だった。トランプ大統領が金正恩氏と３回会談し、３回とも真っ先に拉致問題を持ち出し、解決を促したのとは好対照だ。

## 疑惑を生んだ訪中

オバマ政権は尖閣に日米安保条約第５条を適用すると言明するのに非常に慎重だった。ポンペオ国務長官の発言は先述したが、トランプ政権は第５条適用を言明した。

オバマ政権は中国の南シナ海侵略も丸々４年間、黙認した。結果、中国が同海域のほぼ全域を実効支配するに至る基盤整備を許してしまった。

もう一点、日本も直接被害を受けるのが、東シナ海上空に中国が設定した防空識別圏（ＡＤＩＺ）である。13年11月、中国国防省は突如、当該空域を管理する、圏内を飛ぶ航空機は飛行計画を中国側に提出せよ、従わない航空機には中国軍が「防御的緊急措置を講じる」と発表した。無法な要求に屈してオバマ政権は民間航空各社に中国の意図を尊重せよと指示した。安倍政権は反対に一切無視せよと指示した。日本の対応の方が正しい。絶対的に正しい。

そのようなことがあった翌12月にバイデン氏は中国を訪れた。中国の侵略的な動きの中で、副大統領が訪中してよいのかと議論された中での訪中だった。同行した子息のハンター氏はこの訪問の直後に中国の投資会社の役員に就いた。

ちなみに大統領選挙期間中にハンター氏の所有とされるコンピュータが修理に出され、そこからハンター氏の中国及びウクライナを巡る疑惑が報じられた。疑惑を生んだハンター氏の訪中が中国のＡＤＩＺ設定の時期とほぼ重なっていたことは前述したとおりだ。国際社会に敵対的な措置を講じた中国に、なぜ、バイデン氏は副大統領として訪問し、子息を伴ったのか。なぜハンター氏は中国の会社の役員に就いたのか。トランプ氏ならずとも、バイデン一家と中国の関係に注目するのは当然だろう。
私は日本政府の対中政策も懸念する。安倍政権の終わりにかけて政府は「インド・太平洋戦略」を「インド・太平洋構想」と言い変えた。中国への配慮ゆえか。そんな小手先の技が効くと思うのか。着々と軍事力強化を進める中国の脅威の前では、日本を守る真の力を強化するしかない。それは尖閣を守る海保の力を強化し、自衛隊の力を強化し、日米豪印の軍事協力を強め、インド・太平洋戦略により多くの国々を招き入れて、大同団結することだ。

（２０２０年12月10日号）

## 中国のＴＰＰ横取りを許すな

中国の手法は時代が変わっても変わらない。一番賢いのは策略を巡らして相手を出し抜くことだと信じる民族は、政治体制が王朝であろうと共産党独裁であろうと、同じ発想で問題解決に当たる。その中国に、いま、日本は最大の警戒心を抱くのがよい。

彼らは長い年月をかけて米国を完全に騙した。その結果、念願の世界貿易機関（ＷＴＯ）に加盟したのが20年前だった。当時彼らは国有企業は減らす、中国企業への不公正な補助金も優遇税制もなくすなど、多くの約束をした。全て空約束だ。西側先進諸国が騙され続けた年月に、中国は豊かな国々の経済を中国経済のサイクルに巻き込み、不公正な手法で自国の利益を貪った。そうして世界第二の経済大国となり、いまは米国追い落とし戦略に堂々と取り組んでいる。

中国が米国を完全に屈服させ世界覇者になるためには、日本を抱き込まなければならない。彼らはどこまで日本を取り込んだだろうか。少なくとも第一歩は押さえている。

２０２０年11月15日、東南アジア諸国連合（ＡＳＥＡＮ）10か国と日中豪韓ニュージーランドの15か国で構成する地域的包括的経済連携（ＲＣＥＰ）に日本は署名した。署名に至る実情を日本政府中枢の人物が語った。

「ＡＳＥＡＮ、特に20年の議長国、ベトナムが締結に前向きでした。日本が反対すれば逆に日本がＡＳＥＡＮ諸国から浮き上がる状況をつくられ、署名せざるを得なかった」

中国中心の経済圏が南シナ海・西太平洋に誕生しては大変だと、日本は懸念し続けた。当初の構成は「ＡＳＥＡＮ＋日中韓」だったのを、日本が豪印ニュージーランドを入れた。インドはやがて中国を凌駕する人口大国だ。世界最大の民主主義国家でもある。わが国の戦略はインドの参加を得てＲＣＥＰの中国主導を防ぐことにあった。

19年まで日本案は順調に進展していたが、中国との間の貿易赤字拡大を嫌うインドが、中印国境紛争などの国内問題もあって不参加に転じた。この予期せぬ事態で日本はインドを翻意させられないまま、ＲＣＥＰ締結に追い込まれたのだ。

## メチャクチャな主張

ＲＣＥＰは経済連携体としては基準は高くない。関税撤廃率も全体として91％にとどまり、国有企業優先などの不公平な慣習に対する基準も曖昧だ。日本主導でまとめた環太平洋戦略的経済連携（ＴＰＰ）の関税撤廃率が99・３％で、国有企業への規制も厳しいのに較べれば、両者の違いは大きい。だが、世界人口の30％、22億人と、世界のＧＤＰの30％、26・２兆ドルの大きな塊がＲＣＥＰだ。その中心に中国が座ることの意味は非常に大きい。

中国の李克強首相は11月18日、早速、その意義を語った。

「ＲＣＥＰはアジア太平洋地域諸国の多国間主義と自由貿易を守る共通意思の体現」であり、「産業チェーン、供給チェーンの安定に役立つ」、と。

これは米国への明確な挑戦なのである。世界諸国を「アメリカ第一」の視点でしか見ない米国と違って中国は真の国際社会の指導国となり得る、米国の時代は終わり中国の時代が来たと、宣言したに等しい。

だが、米国に取って代わるにはもっと多くの課題がある。ＲＣＥＰで南シナ海・西太平洋の支配を固め、さらにＴＰＰに入って、中国支配圏を拡大しなければならない。11月20日、習近平国家主席が示したＴＰＰ参加の意向は、まさにその乗っ取りのサインと読むのが正しい。

インド抜きのＲＣＥＰ、アメリカ抜きのＴＰＰこそ中国の世界経済支配の道だろう。大戦略実現のカギが、ＴＰＰもろとも日本を取り込むことだ。私たちの国と産業がいま、中国の最大のターゲットになっている。そのことを日本政府、産業界、そして私たち自身も識《し》らなければならない。

中国は10月に輸出管理法を定めた。「国の安全と利益」に反する経済行動、輸出入に対しては、報復措置を取るとした（48条）。同規定は域外での経済活動にも適用される（44条）ため、日本企業も対象である。報復措置は刑事罰も含む。

彼らは自国民が殺害されたり領土が奪われた場合だけでなく、国家の利益が脅かされる場合、戦争に踏み切る法律案を公表済みである。中国の利益に反する経済活動に「域外」、つまり中国以外の地域、即ち世界のあらゆる国や地域で、世界のあらゆる企業に刑事罰を科すというメチャクチャな法律である。中国国内法を国際社会に適用するという前代未聞の主張は実はこれが初めてではない。

世界経済を中国が悪用し始めた第一歩がＷＴＯ加盟である。彼らの加盟交渉の経緯を辿ると、中国人の熱意、戦略、戦術が見えてくる。一連の交渉を担った朱鎔基氏は、鄧小平と共に毛沢東に粛清されて約20年間、死と隣り合わせの厳しい時代を過ごした。不屈の精神で生き抜いた兵《つわもの》は、1991年から2003年まで副首相、そして首相としてWTO問題に取り組んだ。

## 日米分断が戦略目標

中国のWTO加盟交渉が最終段階に至った99年4月、朱氏は訪米して米政財界の聴衆を前に語っている。

ブッシュ大統領（父）の安全保障問題担当補佐官を務めたスコークロフト氏が真っ先に、台頭した中国は米国のライバル、敵になるかと尋ねると、朱氏は長い答えを返した。中・米の差は大きい。中国は核戦力もGDPも小さい。差は何十年も埋まらないが、中国の成長は大きな市場を意味する。中国の台頭は米国の利益だ。米国は中国脅威論を中国好機論に変えるべきだ、と力強く語った。

朱氏の言葉が全てウソだったことは、今では誰もが理解している。しかし、99年当時の米国は見事に騙された。そもそもスコークロフト氏は89年の天安門事件直後に、ブッシュ大統領の意を受けて秘密裡に中国を訪れ、中国と手を結んだ当人である。こうしてみると、朱氏は米国を騙したが、米国側も喜んで騙されたのである。米国側には日本とはニュアンスが異なるが、親中に傾いていた人々が多いということだ。

朱氏は米国要人に会う度に、中国は決して米国の敵対勢力にはなり得ないとの説明を繰り返した。たとえば米国の貿易赤字は中国の所為《せい》ではない、中国側の利益は全体のごく一部にとどまる、中国よりも中間に介在する日本こそ大きな利潤を得ていると繰り返すのだ。日本を悪者にして、その先に日米分断を図ろうとしているのである。

頭の切れる朱氏も、しかし、中国人の枠を超えることはできなかった。幾つか、馬脚を露す反論をしている。

99年4月2日、「ウォール・ストリート・ジャーナル」（WSJ）紙の発行人、ピーター・カン氏との会談で、天安門事件で戦車の前に立ち塞がった若い男性について訊かれると、朱氏は直ちに言い放った。

「私にも想い出す映像がある。米軍の爆撃でベトナムの少女が裸で逃げる映像だ。（中米）両者には基本的な相違点がある。天安門ではタンクは青年を轢かずに回り込んだ」

WSJの発行人は一言も反論できなかったが、ベトナム少女の悲劇は両国の血みどろの戦争の中で起きたことだ。天安門では中国政府が国民を殺したのである。青年は逃れたが、幾千幾万の中国国民が政府に殺害された。私たちは今もその正確な数を知らない。カン氏が指摘すべきは政府による自国民大虐殺の非だったのだ。しかしカン氏はここで黙り込み、完全に圧倒された。良識的米国人が陥る罠にカン氏も嵌ったのである。

日中関係も要注意だ。記者会見で尖閣問題を好き放題に言われて反論できなかった茂木敏充外相も外務省も、もっと厳しく構えることだ。


（2020年12月17日号）


**【追記】**

20年11月24日、中国の王毅国務委員兼外相が来日し、茂木敏充外相（当時）と会談した。会談後の記者会見で茂木氏が「（尖閣諸島の領有権についての）日本側の立場を説明し、中国側の前向きな行動を強く求める。今後とも意思疎通を行っていくことを確認した」と発言した。続いて王毅氏は「日本漁船が釣魚島（尖閣諸島の魚釣島の中国名）周辺の敏感な水域に入る事態が発生しており、中国海警局がやむを得ず反応している」と述べた。

王毅氏は官邸に菅前首相を表敬訪問したあと、記者団に尖閣の海に日本の偽装漁船が侵入しているなどとも語っている。

尖閣周辺海域で海警が活動するのは「日本の偽装漁船」や「本来中国の海であるところに日本漁船が勝手に入ってくるからだ」という主張を展開しているのである。従って茂木氏は王毅氏の発言を警戒心をもって聞いていなければならなかった。そして先述のような発言を目の前でされてしまったからには、直ちに反論しなければならなかった。しかし茂木氏は、日本漁船が問題を起こしているというかのような王毅発言を受けて「シェシェ」（ありがとう）と言って会見を終えたのである。

こんな問題意識のなさこそ問題なのだ。外務省は茂木氏の対応を「大人の対応」としてかばったが、それは全く違う。大臣を筆頭に外務省全体は思い違いをしている。このようなことで国益を守れると考えているとしたら、一から出直しが必要であろう。

## 統一朝鮮の核、日本の真の危機だ

日本が位置する北東アジア地域はいまやミサイルの密度でいえば欧州よりも高く、世界一危険な地域である。核兵器についても同様だ。

中国、ロシア、そして北朝鮮。全て核保有国である。

一番近い半島国家、韓国と北朝鮮が万が一にでも統一すれば、南北合わせて180万の軍隊が出現する。しかも核とミサイルを保有し、日本を射程にとらえている。統一朝鮮は政治的には米国よりも中国に近くなると考えておくのが正しいだろう。南北朝鮮が反日感情を国家統一の軸のひとつにすることは容易に想像できる。日本に対しては今よりずっと激しい敵意を燃やすのではないか。

もしこんな状況が生まれるとしたら、日本は如何にして国民・国土を守るのか。米国が同盟国だからといって米国に頼ってばかりでよいはずはない。

この種の問題提起はこれまで散々なされてきた。その度に日本が自力で国民と国を守れるように、軍事的基盤の強化や憲法改正の必要性が強調された。直近の議論で言えば、イージスアショアの見直しに関連して、わが国は敵基地攻撃能力を持たなければならないという議論が生まれかけた。国際社会では当然の考え方だ。しかし、その議論はいつの間にか消えてしまっている。憲法改正についても、何年も何年も、何も起きずに今日に至っている。

米国防総省の副次官を務めたリチャード・ローレス氏が雑誌「Ｗｅｄｇｅ」２０２０年12月号に、「核保有国の北朝鮮と日本」と題して、重要な提案をした。日本は今すぐにでも、日本国の生き残りのために戦略の大転換を考えなければならない、米国の中距離核戦力（ＩＮＦ）システムの導入を検討せよという、生々しくも危機意識に溢れた提言である。

日本も米国も中国の脅威の増大に目を奪われがちで、北朝鮮の核・ミサイル開発については警告を発しつつも、それを抑え込む決定的手立てを講ずることができないまま、結局彼らの核保有を許してしまった。

## へつらい外交

その結果、北朝鮮は在日米軍のみならず、グアム、ハワイの米軍基地も弾道ミサイルで核攻撃できる能力を持ってしまっている。そのため米国は西太平洋における政治・軍事戦略の全面的見直しを迫られていると、ローレス氏は指摘する。

氏はまた、南北朝鮮統一のシナリオと、その影響を日本も米国も真剣に考えよと警告する。日本にいてもはっきりと韓国政治の混乱は見てとれる。文在寅大統領は、南北統一を実現するためなら米韓同盟も捨てかねず、朝鮮戦争で韓国を守った米国よりも中国に接近を図っているのは明らかだ。

北朝鮮に対しては信じ難い程に卑屈で従属的だ。20年6月16日、北朝鮮の金与正氏が南北朝鮮の友好の象徴である南北共同連絡事務所を爆破し、韓国側を「ゴミども」「駄犬」などと罵ったとき、文氏は南北関係の溝を埋めるべく国家情報院長の徐薫《ソフン》氏を送ると申し出た。北朝鮮側はその申し出をピシャリと拒否した。すると文氏は北朝鮮の回し者と言っていい朴智元《パクチウォン》氏を国情院長に任命したのである。

朴智元氏が北朝鮮の工作機関、統一戦線部と一心同体の人物であることは、１７３頁に詳述した。その危険な人物を、文氏が韓国の国情院長に任命したことは、韓国を北朝鮮に売り渡したに等しい。民主主義国の旗を掲げながら、文氏が実際に行っていることは専制独裁者、金正恩氏への従属外交でしかない。中国の習近平国家主席に対するへつらい外交と同じである。

南北関係では、北朝鮮に多くの選択肢がある一方で、韓国には相手を宥《なだ》めるしか手立てがない。韓国の弱さが北朝鮮の挑発を誘い、北朝鮮は核の切り札を使って韓国を意のままに操る。文政権は明らかに米韓同盟維持には熱心ではない。むしろ破棄を望んでいると見るべきだ。文氏は間違いなくその先に、北朝鮮に物心両面で尽くして民族統一を成し遂げたいと願っている。

韓国が米国と共に、北朝鮮の核・ミサイル放棄を迫ることなど考えられない。北朝鮮は核を絶対に諦めない。結果、南北朝鮮は統一し、北朝鮮の核技術に韓国の経済力と技術力が加わって、核を保有する人口７５００万の統一朝鮮が誕生するのは避けられないとのローレス氏の警告はストンと胃の腑に落ちる。

日本はこの迫り来る危機を察知して、準備するときだ。日本が早急に手をつけるべきことは日米同盟の強化だと誰しも考える。日米関係の緊密さ、日米同盟には微塵の揺らぎもないことを、南北朝鮮及び中国にきちんと見せていくことの重要性を意識するときだ。

具体的には、日本は国内に米国の中距離核ミサイルの配備、ＩＮＦシステムの導入を求めるべきだとしたうえで、ローレス氏はミサイルの発射は日米の合意によるとし、双方は単独では行動しないことも明確に定めておくことを助言する。

## 核の使用に踏み切る可能性

これは冷戦時代、米欧がソ連に対峙するために取った政策そのものだ。ソ連が欧州諸国を狙う中距離核を突然配備したのに対し、西ドイツのシュミット首相が米国の中距離核ミサイルの欧州配備を要望した。当時中距離核ミサイルを保有していなかった米国は大急ぎで製造し、配備し、ソ連に抑止をかけた。結論を言えば米ソはその後、核軍縮交渉に入り、両国ともに中距離核ミサイルを全廃した。いま世界で最も多く中距離核ミサイルを保有しているのは中国である。

中国及び北朝鮮の核ミサイルは間違いなく日本を狙っている。とりわけ北朝鮮の場合、その挑発行動がエスカレーションを招き、歯止めのきかない行動の連鎖によって核の使用に踏み切る可能性がある。なのに、日本には国民と国を守る力がない。米国と共同で守るしか解決法はないという考えの先に、INFシステム導入という具体案が提示されたのである。ローレス提案をどう見るか。氏は北朝鮮の困窮極まる実態や、日本が一文字の憲法改正もできていないことには触れていない。

北朝鮮の金正恩体制は経済的に追い詰められ危機に直面している。彼が文大統領を従えて南北統一を主導することは容易ではない。中国と米国がどう動くか。双方共、黙って見ていることはないだろう。しかし、長期的に見れば、朝鮮半島が中国の影響下に引き摺りこまれつつあるのは否定できない。

他方、日本は北朝鮮のみならず、中国の脅威に関しても当面日米同盟に依拠するしかない。しかしその場合、今のままの日本を米国は同盟国として受け入れ続けるだろうか。日米豪印4か国の協力体制（クアッド）を北大西洋条約機構のような軍事同盟にせよとの声もある。だが、憲法改正もできていない日本にそんな議論は絵に描いた餅だ。日本の課題ばかりを痛感させられたローレス論文だった。

（２０２０年12月24日号）

【追記】

北朝鮮の脅威は中国の脅威の前では日本人の意識にはっきり上らないというローレス氏の指摘は的を射ている。２０２１年度の防衛白書によると北朝鮮のミサイルが日本列島を飛び越えて発射された事例は6件だ。テポドン2号と中距離弾道ミサイル「火星12」である。しかし日本では大きな騒ぎにはならなかった。国防関係者は鋭い危機感を抱いたはずだが、日本列島全体が北朝鮮のミサイルの射程内に入っているにも拘わらず、国民の多くは無関心で、政治家も同様のように見える。

北朝鮮は核の小型化もなしとげており、ミサイルに核兵器を搭載することも可能である。北朝鮮が最後に実験した核兵器は１６０キロトンの威力があると見られている。広島型の10倍である。仮に北朝鮮がそのような核をミサイルに搭載して東京上空で爆発させたとしたら、山手線内全てが瞬時に廃墟になる。

金正恩氏は保身のためにも絶対に核を諦めないだろう。生き残りのためにはおよそどんな手段も使う専制君主が、核を保有して日本を見据えている。この事実は瞬時も忘れてはならない。ミサイル発射の兆しが見えたら、その攻撃を未然に防ぐための敵基地反撃能力をまず保有することが急がれる。その先に日本国としてやり遂げるべきは、やはり憲法改正なのである。本来はこうした議論を日常の政治活動の中で尽くすのが政治家の責任だ。政治家にそのような考えがないのであれば、有権者である国民が彼らに課題をつきつけなければならない。

# 新年の読書は『天皇の国史』だ

冬至がすぎ、新年が近づいてきた。新しい年はどんな年になるのだろうか、それは私たち日本人次第だ。

世界情勢の大混乱はどの国をもいためつけている。日本だけが武漢ウイルスの攻撃に晒されているわけではない。他方、ウイルスを撒き散らした中国は、いち早く経済再生をはかり、一番得をしているように見える。だが、彼らは武漢ウイルスをきっかけに国際社会に正体を見破られてしまった。よいことである。世界の混乱を利用して、中国こそ善なる医療大国であるかのように装い、他方で香港人やウイグル人を弾圧し、支配し、沈黙させている。その嘘にまみれた醜い姿を、ウイルスが次々に明らかにしてくれた。そして国際社会の主要国に中国の友人はいなくなった。まさに天網恢恢《てんもうかいかい》、疎《そ》にして漏らさずなのである。

令和3年、米中のせめぎ合いはこれまで以上に深刻化するだろう。中国は孫子の兵法を駆使し、世界の覇権国となるための大戦略に基づいて次々に新たな戦術を繰り出してくるはずだ。わが国は中国の攻勢を防ぎ、米国に対しては、日本と同盟関係にあることが米国にとって非常に価値あることだと、精神的にも物理的にも示さなければならない。

そのために日本の本領を発揮することだ。日本は幾千年も穏やかな文明を育んできた。記憶にないほど太古の昔から万民平等の哲理を自然の内に実践してきた。その中心に天皇がいらした。天皇の存在を理解するには、東京の皇居ではなく、京都御所を想い起こすのがよい。明治維新で江戸城が無血開城され、明治天皇は東京に移られたが、それ以前は京都御所におられた。京都御所は江戸城とは異なり、敵の襲来から御所を守る堀もない。頑丈な城壁のかわりに簡素な築地塀しかない。賊は侵入しようと思えばいつでも乱入できるだろう。だが長い歴史の中でそんな不埒なことは起きなかった。世界でこのような国は本当に珍しいはずだ。天皇と国民のこの穏やかな関係は、天皇が常に民と国のために祈り、民もまた天皇と皇室に敬愛の情を抱いてきたからであろう。

## 幸福を願う心

日本の歴史は、天皇と民が共に歩んできた歴史であることを、多くの事例を引きながら、見事にまとめたのが竹田恒泰氏の『天皇の国史』（ＰＨＰ研究所）である。武漢ウイルスでお正月休みを静かに読書して過ごそうと考えている方も多いと思うが、６６８頁に上る大部の書、『天皇の国史』をお勧めしたい。

竹田氏は日本の特徴を、宏大な宇宙はどのようにして生まれたのかという大きな謎の話から始めている。一神教のキリスト教では、天地創造の物語は「初めに神（ゴッド）が天と地とを創造した」という言明から始まる。つまり偉大な神が大宇宙を創られたという説だ。

対照的に日本国の成り立ちを記した「古事記」は、先に宇宙空間があり、そこに神々が出現したと記述している。一神教の偉大なる神が宇宙を創ったのではなく、全ての生命の源である宇宙が神を創ったというのが古事記の世界観だ。

キリスト教の世界観においては、強きもの、尊きもの、正しきもの、善きものは全智全能の神であり、神に従うことで人間は導かれ、救われることになっている。従って序列は「神↓人↓自然」となる。他方、古事記では神は時には間違い、時には悩み、時には他の神々に助言を求める。一神教の絶対的に正しく賢い存在とは正反対の、むしろ人間味のある神である。従って古事記にも記されているように、日本文明の根底を成す世界観は「自然↓神↓人」の序列となると竹田氏は説く。

どちらが正しいと言うつもりはないが、生命や人の根源が自然であることは正しい摂理であろうから、古事記即ち日本の世界観の方が無理がないと感ずる。

古事記の世界観は日本人の精神性の根本を描いたものと言ってよい。そう考えれば、山や森、大きな岩や海、さらに一木一草の中にも日本人が神を見出したのは自然なことだっただろう。大自然を神々の宿るところと感じ取る感性はこの国の原始の時代、国の成り立ちの初めからの感性なのだ。

古事記や日本書紀では、地上の国を統治することを、「知らす」「治《し》らす」と表現しているとの竹田氏の指摘はとても重要な点だ。そのように指摘した上で、天皇が国を治めることは天皇が国の事情を知ることと同義だと解説する。ここに日本国の本質がある。支配するのではなく、知ることを重視するのである。対象を知ることは理解と共感、親愛の情につながる。その人の幸福を願う心につながる。それが天皇の祈りであろう。

歴代の天皇が常に国民・国家のために祈って下さっているそのお姿は、まさに古事記が描いた

「日本は天皇の知らす国」という実態の反映なのである。

## 先人達の真実の歴史

もう一点、読みながら嬉しく感じたのは、日本は世界の四大文明からはるかに遅れていたと、たしか中学生の頃に教わった古代史が全くの間違いであるという指摘だった。竹田氏はアマチュア研究家、相沢忠洋氏の発掘した岩宿《いわじゅく》遺跡の磨製石器の歴史から説き起こし、日本民族の驚くべき足跡を明らかにした。

人類が最初に用いた道具は石器である。単に打ち砕いたのでなく、加工したものが道具としての磨製石器である。磨製石器の有無は文明成立の条件のひとつだが、世界最古の磨製石器は日本列島で発見されているというのだ。

岩宿遺跡の磨製石器は3万5000年前のものだった。その後も長野県、熊本県、岩手県などからさらに古い3万8000年前まで遡る磨製石器が数多く発見された。

他方、世界で磨製石器が使用されるようになるのは1万年前、日本列島の文化は世界よりも2万8000年も進んでいたことになる。近隣諸国で言えば、中国の最古の磨製石器は1万5000年前のもので、朝鮮半島は7000年前だ。

であれば当然の疑問が湧く。古代、文明は中国から日本に伝わったのではなく、日本から中国、朝鮮半島に伝わったのではないか、と。

科学はまさに日進月歩、古代史も新しい科学的知見で年代が改められたりすることは珍しくない。日本列島に住んだ先人達の真実の歴史がもっと掘り出され、日本は本当に凄い国であると明らかにされる日を楽しみにしたい。

竹田氏は『天皇の国史』で初代の神武天皇から、令和の今上天皇までを描き切った。織田信長の意外な姿、明治天皇、昭和天皇のご決断。胸に迫る場面は少なくない。

日本国の歴史を天皇を中心に見つめ直すことは、さまざまな歴史の事象から日本文明の本質を掬い上げ、理解し、心にしみこませる作業につながる。このお正月休みに是非、皆さんにも楽しんでほしいと願うものだ。

（2020年12月31日・2021年1月7日号）

## 他人事ではない中国の「見えない手」

米国の歴代大統領は退任後すぐに回顧録を出すのが習性となっている。読者は世界中に存在し、最初からミリオンセラーが約束されている。出版契約料が日本の標準では考えられないほど高額なのも当然かもしれない。たとえばオバマ前大統領夫妻は６５００万ドル（約72億円）を得た。私はこの余りの高額に驚きを超えて笑ってしまったのだが、それでも各大統領の回顧録は読んでみるのがよい。

歴代米大統領の中で中国の工作を最も深刻な形で受けていた一人は、間違いなく民主党のクリントン氏であろう。ヒラリー氏があれ程頑張っても初の女性大統領になれなかった原因のひとつに、米国の有権者たちがヒラリー氏のカネに疑問を抱き、嫌気がさしていたことがあるのではないだろうか。クリントン夫妻のカネ、とりわけ中国マネーにまみれたイメージが、ヒラリー氏の道を閉ざした可能性は高いと、私は考えている。その中国の魔の手が民主党だけでなく共和党にものびていたという衝撃的な事実を『見えない手　中国共産党は世界をどう作り変えるか』（飛鳥新社）が見事に報じた。

著者はクライブ・ハミルトン氏とマレイケ・オールバーグ氏だ。ハミルトン氏は豪州への中国の侵略を詳述した『目に見えぬ侵略　中国のオーストラリア支配計画』の著者である。

中国共産党の工作を描き尽くす作品第二弾としての『見えない手』は、侵略の舞台を北米大陸と欧州に絞った内容だ。どの国の事例も深刻だが、米国共和党の取り込み、とりわけブッシュ家への工作は凄まじい。

ジョージ・W・ブッシュ氏の回顧録、『決断のとき』（*Decision Points*）には、両親の愛情を一杯に受けて育った素直な人物像がにじみ出ている。大酒飲みで、失敗も仕出かした若きブッシュ氏が結婚し、40歳で酒を断ち、キリスト教への信仰を深めていく姿は素朴で実直な人間像そのものだ。

ブッシュ氏の大統領としての評価には様々な意見があろうが、私の疑問のひとつはブッシュ家と中国の関係だった。父ブッシュは1974年から76年まで北京連絡事務所長、76年から77年まで中央情報局（CIA）長官を務めた。レーガン大統領に副大統領として奉じ、89年から93年まで大統領として、中国の天安門事件に対処した。湾岸戦争も戦った。彼は天安門事件で中国が国際社会の経済制裁を受け締め出されたとき、事件からひと月後の89年7月にスコークロフト安全保障問題担当補佐官を筆頭とする秘密の使節団を北京に送り込み善後策を話し合い、事実上中国と手を握ったことは、繰り返し強調しておきたい。

## 甘い誘惑

国際社会による経済制裁の輪を突き破ったのは表面上わが国の海部俊樹政権だったが、実際はいち早く中国救済に米国が動いた。その立役者が父ブッシュだった。

中国は父ブッシュを「古い友人」と呼ぶ。右の呼称は中国に多大な貢献をした世界的な人物に与えられるもので、他にはキッシンジャー氏らが受けている。このように父が中国と親しい関係にあったにも拘わらず、息子ブッシュ氏は大統領に就任するや、前任のクリントン大統領による、米中は戦略的パートナーであるという定義を否定し、中国を戦略的ライバルと位置づけた。米国の甘い対中政策を変えようとしたかに見えた息子ブッシュ氏の路線は、しかし、大統領就任1年目、2001年の9・11事件で大きく変更されてしまった。ブッシュ氏は中国の江沢民国家主席をテキサス州クロフォードにある自分の別荘に招き、ライバル路線から、共にテロと戦う協調路線に切り替えていった。

その間中国側が息子ブッシュ氏の弟たちに注目していたことが、その後の展開から見てとれる。フロリダ州知事だった弟のジェブ氏が16年の大統領選挙に出馬したとき、中国は130万ドル(約1億4300万円)を献金した。実際に献金したのはカリフォルニアの不動産開発会社経営者のゴードン・タン氏とシンガポールに拠点を置く陳懐丹氏で、二人はパートナーとされている。

ジェブは早々に選挙戦から脱落し、中国の当ては外れたかに見えた。しかし、二人の中国人富豪はそれ以前の13年から、ブッシュ家の三男、ニール氏を彼らの会社「新海逸」の非常勤会長として囲いこんでいたのだ。

ニール氏は「ジョージ・H・W・ブッシュ(父ブッシュ)中米関係財団」を創設、会長に就任し、ブッシュ家の中国資産を引き継いだ(『見えない手』)。財団は「中国人民対外友好協会」と連携関係にある。この協会は中国共産党の統一戦線工作団体である。

ニール氏が中国側からさまざまな働きかけ、甘い誘惑を受けたであろうことは容易に想像できる。たとえば19年6月24日、中国共産党機関紙の「人民日報」はニール氏の発言を熱狂的に報じたという。

伝えられるところによると、ニール氏は、①中国はより成熟しつつあるが、米国の民主制度には欠陥がある②米国の政治家たちは米国人が中国を問題視するように洗脳している③米国は貿易障壁を、中国を責め立てるための政治的武器として利用している、などと語っている。

## エリートと娘を結婚させる手法

ハミルトン氏はニール氏のさらなる発言も紹介している。たとえば、国営放送の中国中央電視台の取材で「中国の人々の自然な優しさと贈り物を贈る習慣」に感嘆したと語ったが、これは自分を手なずけた中国の手法を白状するものだ。

ニール氏はさらに「中国で人々が享受している自由の台頭を見れば、米国人は中国に対する見方を変えるはずだ」などとも語っている。

ブッシュ家は共和党を支える名門政治家一族である。無論、米国の政治の変化はダイナミックで、ブッシュ一族の影響力がどれ程大きく長く続くかは保証の限りではない。しかし、中国の浸透工作は極めて巧みに構築され、注ぎ込まれる経済的資源は莫大である。米国のみならずカナダ、欧州諸国の事例をみると、各国のエリート層を取り込む手法では巨額のカネと利権に加えて女性が活用されている。これと見込んだエリートと娘を結婚させる手法だ。

もちろん結婚には互いに愛情が必要だ。それにしても共和党のミッチ・マコーネル上院議員のケースには考えさせられた。上院の与党リーダーとして大統領に次ぐ強い力を持つ氏は、かつて対中強硬派だった。それが1990年代以降、「有名な対中融和派」になったと分析されている。

氏は93年に中国系米国人で江沢民の同級生ジェームズ・チャオの娘、イレーン・チャオ氏と結婚した。ジェームズ氏の所有する海運会社は中国の国有企業と密接な関係にある。娘のイレーン氏は息子ブッシュ政権で労働長官を、トランプ政権で運輸長官を務めた。ジェームズ氏は2008年、娘夫婦に数百万ドルを贈与し、マコーネル氏は最も裕福な議員の一人となり、共和党を親中路線に導くべく働いてきたと分析されている。

中国の深い企み、考え抜かれた戦術・戦略に、私たちは晒されている。そんなことで取り込まれてなるものか。世界を中国の価値観で染められてたまるものか。しかし、改めて日本の現実を見つめると、黒い不安が広がるのである。孔子学院、千人計画、親中派議員と財界人。日本に伸びている中国の「見えない手」は米国に伸びている中国の手よりも或いは長いのではないかと思うものだ。

（2021年1月14日号）

# 第5章　米中の動向から目を逸らすな

## ポンペオ氏、米中関係転換の決定打

任期が残り11日に迫った2021年1月9日、ポンペオ米国務長官が米中台の関係に鮮やかなケジメをつけた。米国はこれまで、「中国はひとつ」と中国政府が主張していることを承知し、米国と台湾の政治家、外交官や軍関係者の接触を「自主的に制限」してきたが、それらすべてを撤廃したのだ。

氏はこう述べている。

「台湾は活力に溢れた民主主義国で信頼すべき米国のパートナーだ。しかしこれまで数十年間にわたって、米国は北京の共産主義政権を宥《なだ》めるために台湾との交流を自主規制してきた。だが、もうしない」

「ノーモア」と言い切ったのである。米上院は3年前の2018年2月28日、共和、民主両党が全会一致で台湾旅行法案を可決した。閣僚級も含め米政府の全職員が台湾を訪れ各自の相手と会談するのを許可する内容だ。

その後、台湾を巡る情勢は大きく変わった。中国が香港を弾圧し、国際社会の同情と支持は香港や台湾に集まった。中国の弾圧が続く中、20年1月の台湾総統選挙で民進党の蔡英文総統が圧倒的強さで再選された。中国寄りの国民党は潰滅的打撃を受け、現在米国との国交樹立を唱えて、民進党よりも過激である。

総統選直後に武漢ウイルスが広がり、台湾は見事に防いだ。そして米国は20年8月にアザー厚生長官を台湾に派遣、9月にはクラック国務次官が、またクラフト国連大使を台湾に送り込もうとした。１９７９年の米中国交樹立以来39年間続いた米国の自己規制は事実上撤廃済みだったのだ。今回、ポンペオ氏は国務長官として、それを明確に言葉で表現し、米国政府の政策として発表した。ケジメをつけたのである。

中国は烈しく反応した。中国共産党の対外向け機関紙「環球時報」は10日、バイデン次期政権は現政権の行動を無効化するのか、それに対してポンペオは——と呼び捨てにし——自身の台湾訪問など、さらなる挑発的行動に出るのかと問うた。

## 米国は台湾の側に立つ

バイデン政権が現政権に迫られる形で「ひとつの中国」政策の根底をつき崩す行動に出ないように、中国側は断固たる意思を示すべきだと環球時報は警告する。クラフト国連大使訪台への動きはポンペオ氏が中国を試しているケースだと見て、中国政府は決定的に強い意思表示で反対しなければならないとする。

その上で、万が一、ポンペオ氏が任期切れ前に台湾を訪問する事態になれば、人民解放軍（ＰＬＡ）空軍の戦闘機は直ちに台湾上空に飛び、かつてない形で中国の主権を宣言すると警告した。「米国と台湾が過剰に反応すれば、即ち戦争だ」とまで書いた。

日程が発表されたクラフト大使訪台を中止させるのは厳しいと観念し、ポンペオ氏の訪台だけは何としてでも阻止したいということであろうか。恫喝はまだ続く。

「アメリカ国民に見捨てられた政権の、気が狂ったような最後の足掻きを頼りに、台湾が分離独立を果たせると考えてはならない。そんなことをすれば全滅の運命が待っている」

彼らの反応の方が「気が狂ったよう」ではないか。憤懣やる方ないのか、彼らはポンペオ氏及びトランプ大統領を以下のように貶める。

「バイデン陣営と多くの米国民は、余りにも愚かな現政権が核兵器を使ってでも目的を達成しようとするのではないかと懸念している」

核弾頭を含むミサイル約2000基を台湾に向けて実戦配備しているのは他ならぬ中国だ。いざとなったら核があるぞと脅し続けている自国の「狂気」を、彼らは棚上げしている。共和党政権への常軌を逸した攻撃が、彼らが受けた衝撃の強さを示している。中国共産党がこの上なく懸念しているのは、バイデン政権がポンペオ氏の決定を継承することだろう。果たしてバイデン氏はポンペオ氏の決定とどう向き合うだろうか。

バイデン氏は米国が中国と国交を樹立した79年、上院議員として台湾関係法に賛同している。中国による台湾併合に断固反対し、米国は台湾の側に立ち台湾の独立を守ると宣言したのが台湾関係法である。その延長線上にあるのがトランプ政権による台湾旅行法で、ポンペオ氏の決定は台湾旅行法を別の表現で語ったにすぎない。

筋立てて考えれば、そしてバイデン氏が信念の政治家であるのなら、ポンペオ氏の決定を否定することはあり得ないはずだ。

日本にもポンペオ氏の重大決定は必ず跳ね返ってくる。日本は台湾問題に関して迷う余地はない。罷り間違って北京側についたりすれば、89年の天安門事件のときと同じ間違いを繰り返すことになる。

## 悪魔のような勢力

あのとき日本外務省は二つの大きな柱を立てた。①絶対に中国を刺激してはならない。天安門での弾圧を批判するとしても、決して中国の面子《メンツ》を損なわない形にする、②中国は鄧小平の改革開放政策を推進中で日本はこれを助けるべきだ。さもなければ中国の混乱はアジアにおける攪乱要因になる、である。

日本政府即ち宇野宗佑、海部俊樹の両首脳は当時の欧米諸国とは反対に対中制裁に抑制的姿勢を取り続けた。しかし日本政府の対応は結果として間違っていた。中国共産党は人間の自由も民族の独自性も受け入れず、ひたすら自らの支配を強めようとする悪魔のような勢力だ。そのような勢力を信じたツケがいま、回ってきている。

バイデン政権の対中政策についてはまだ不透明な部分が多い。力強いリーダーシップを発揮することも余り期待できないだろう。力で統率する中国共産党のぶれない外交の前で、バイデン氏が劣勢になることも十分にあると覚悟しておいた方がよい。しかし、そうであればある程、日本が発奮しなければならない。米国との協力体制を強化し、日本なりの知恵を出すことが日本の国益だからである。

中・長期的に見れば、人間の自由を抹殺する中国に未来はない。自由主義陣営の私たちは必ず、勝つ。彼らよりずっと好ましい未来を築くことができるのが私たちだ。そう信じて揺るがず、いまは目の前の台湾の独立維持を力強く支え、守ることがこの上なく大事だ。
たとえば、日本はすでに中国と対峙する日米台の産業構造の構築に参加している。米国抜きのサプライチェーン構築に躍起の中国に対して、日本は中国抜きのサプライチェーン構築の重要メンバーだ。世界最大手の台湾の半導体メーカー、台湾積体電路製造（ＴＳＭＣ）はすでに米国での工場建設を決定したが、今年、彼らは茨城県つくば市で日本企業との共同開発にも入る。北九州に工場もできるという。ポンペオ氏の政策こそ、正しいのである。そのような台湾擁護の政策づくりに日本政府は知恵を絞り、勇気をもって実行すべきだ。

（２０２１年１月21日号）

【追記】

ＴＳＭＣの最高経営責任者（ＣＥＯ）の魏 哲 家《シーシー・ウェイ》氏は21年7月15日、決算発表の記者会見で日本への工場進出について初めて「検討している」と語った。

半導体工場の建設には数千億円から一兆円規模の投資が必要で、10年単位で工場の稼動率が高水準で続くことが重要になる。それを実現する十分な需要が日本で確保できるか、ＴＳＭＣの日本での展開にはまだ見極めるべき点がある。経済産業省は経済安全保障の観点からＴＳＭＣの日本誘致を全力で進めたい考えだが、ＴＳＭＣ側が期待する支援金は数千億円から一兆円超という大金である。それをどのような戦略に基づいて拠出するのかという問題に関しては、わが国の産業政策をどのように推進していくかについての考え方を整理する必要がある。

日本の産業政策はかつては国が主導してきた。業界をまとめ国家戦略に基づいて資源配分もしてきた。しかし、その後は全て企業任せとなり、政府の指導や介入は事実上否定されてきた。だが、中国の国主導の産業政策に立ち向かうために、米国をはじめ、各国が協調し、中国抜きのサプライチェーンの構築までも想定して産業力を高めようとするとき、再び、国としての産業政策が必要ではないかと、論じられているのだ。ＴＳＭＣへの大型補助金支給が実行されると仮定して、それは日本国の産業政策のひとつの大きな転換点になる可能性がある。

## 米新政権、中国に圧倒される懸念

本稿が皆さんのお目にとまる頃、米国ではバイデン氏が大統領に就任し、民主党政権の政策が矢継ぎ早に発表されているだろう。それでも共和党政権のポンペオ国務長官をはじめロス商務長官らは、残りわずかな時間の中で厳しい対中政策を打ち出し続けている。

先週報じたように、ポンペオ国務長官は2021年1月9日、長年米国の対中政策の基本であり続けた「中国はひとつ」の原則に基づき米台間の人的交流を制限する自主規制を全て撤廃した。11日には米国務次官補のクーパー氏が、米国駐在の台湾代表・蕭美琴《しょうびきん》氏と会見した。13日からはクラフト米国連大使が台湾を訪問し、蔡英文総統をはじめとする台湾政府要人と会談する予定だった。クラフト訪台は、しかし前日の12日になって、米国務省がポンペオ国務長官以下週内に予定されていた外遊計画全ての中止を発表し、実現はしなかった。

外遊中止の背景は説明されていないが、トランプ大統領の支持者らによる米議会議事堂への乱入事件が影響したと解説された。クラフト大使の訪台中止も恐らくそれ以上の理由ではないと思われる。なぜなら、翌13日にビデオ会談で、クラフト氏と蔡英文氏が極めて友好的に対話しているからだ。

クラフト氏は、米国は常に台湾の側に立ち、友人、パートナーとして、手を取り合って民主主義の柱となり支え合う、と最上級の賛辞を贈った。また中国政府の妨害で台湾がWHO（世界保健機関）に入れないのは不当であると述べて、蔡氏と台湾を元気づけた。蔡氏は米国の心強い支えに深い感謝を伝えた。

18日までには、米商務省が中国の第五世代通信大手の華為（ファーウェイ）に部品を提供している企業4社に対して、部材提供の免許取り消しを通知した。4社の中に米国のインテル及び日本のキオクシア（旧東芝メモリ）も含まれている。商務省がファーウェイ向け輸出ライセンス申請の多くを拒否する意向であることも報じられた。

## 「10大リスク」のトップ

最後まで対中警戒を強め続ける共和党政権への中国側の攻撃は、まるで躾のできていない子供のような乱暴な言葉の羅列でしかない。ポンペオ氏らに関しては「台湾海峡地域で彼らを水に落ちた犬として打たねばならない」「現在はむしろ中国大陸が台湾問題でやるべきことをやる絶好のチャンスだ」「台湾海峡は危機を迎え、さらに嵐に見舞われた方がよい」（「環球時報」1月11日社説）などと書いた。ポンペオ氏と台湾の動き次第によっては「戦争だ！」と煽った彼らは、最終的に軍事力で台湾を奪うぞという恐喝のつもりなのであろう。

強い言葉で恫喝し、強大な軍事力も行使するとの構えを見せる中国にどう対峙するのかが、いまや世界共通の課題である。最大の脅威が中国という構図は親中派とされているバイデン政権にも当てはまる。氏がどこまで中国の意図を読みとりきちんと向き合えるかが、これからの世界情勢を決定する。

私たちは果たしてバイデン政権に期待できるのだろうか。21世紀は「Gゼロ」の時代となり、リーダー国不在の世界が来ると予測したのが、米国の国際政治学者、イアン・ブレマー氏だった。氏が主導する研究所「ユーラシア・グループ」は、今年世界が直面する「10大リスク」のトップに「バイデン大統領」を挙げた。バイデン氏の下でも米国社会の分断は埋まらずに、米国は強力なリーダーシップを発揮できない。従ってリーダー不在の国際情勢は不安定なまま続いていくというのである。ブレマー氏とその研究所が抱くバイデン氏への不安は世界中の戦略家が共有しているものである。

不安定な国際情勢は不安定な米中関係に置き換えられる。バイデン氏は国際社会のリーダーとして「アメリカは戻ってきた」と宣言し、同盟国を重視するとも強調した。にもかかわらず諸国は安心もできず、氏自身が10大リスクのトップに置かれるのは、米政権に大戦略が見えてこないからだ。

しかし、米国に戦略がないはずがない。12日に公開されたトランプ政権のインド太平洋戦略に関する機密文書とオブライエン大統領補佐官の声明は、共和党政権下で国防総省や国務省が如何に堅固な戦略を考えていたかを有弁に語っている。同文書は国家安全保障局の機密文書に分類され、本来なら30年間は非公開だった。それを、政権交替を前に急遽ホワイトハウスが公開したのである。民主党政権の対中宥和策への牽制とも読める。

A４で10頁、中国の脅威に対する米国の危機感の深さが伝わってくる。日豪印さらに韓国や台湾を視野に入れた大戦略が書かれている。ここで再び指摘しなければならない。問題はこうした危機感や分析をバイデン政権が受け入れるのかどうかなのである。

## 交渉を前面に立てる

中国の異形かつ悪魔のような価値観によって国際秩序はあちらこちらに傷を受けた。秩序の立て直しは、中国の脅威の実態から目を逸らしていては不可能だ。トランプ政権は稚拙な手法ではあったが、少なくとも中国の脅威を認識して対峙しようとした。

米国一国に中国問題を解いてほしいと期待する時代がすぎたことは、日本を含む欧州のいわゆる中級国（ミドルパワー）と呼ばれる国々は皆自覚している。米国に求められているのはその道筋を示すことだ。その道筋に沿って日本も欧州も各々の責任を果たし役割を担っていくと思う。だがバイデン氏が国際秩序立て直しの道筋を示せるのか疑わしいと思う理由のひとつが、バイデン政権の人事である。

たとえば気候変動問題大統領特使のジョン・ケリー氏である。一度は強力な大統領候補となったケリー氏には今回特別の地位が与えられる。氏はバイデン政権の閣僚会議にも国家安全保障会議（NSC）にも出席する資格を与えられ、軍用機で外遊する権利も認められた。氏は、気候変動問題こそ、中国の経済侵略や軍事的膨張への警戒よりもなお重要で全てに優先すべき課題だと考えているという。しかも中国との協調なしには米国も世界も気候変動問題を解決できないとも考えているというのだ。であれば、ケリー氏は必ず、中国と深く交流し、交渉によって問題を解決しようとするだろう。

中国は気候変動や地球環境問題を常に経済、軍事、覇権問題に搦めてくる。交渉を前面に立てるケリー氏はそこで落とし穴に落ちかねない。「中国製造２０２５」の目標を掲げ、目的達成に巨額の投資をつぎ込んだ中国は経済と軍事を明確に一体化し、中国の国家安全を図ると宣言した。

国家安全を政権安全に置き換え、自身の終身皇帝制度の安全を達成するのが習近平氏の意図だ。人類愛でも民族愛でもなく自己愛ゆえに、中・長期的に国際社会を、経済・軍事の両面で中国共産党の影響下に置くことを目論む習氏の政権に対しては、如何なる交渉も厳しすぎる程の検証を伴わなければ騙される。そんな危険をバイデン政権は認識し回避できるか。疑問である。

（2021年1月28日号）

# 米国の出鼻をくじいた中国共産党

中国の習近平国家主席が２０２１年１月11日、中央党学校の開講式で演説した。李克強氏ら政治局常務委員、王岐山国家副主席を前にして、今後30年間は中国が歴史的大望を達成する時期だという大演説だった。

「世界はこの百年で初めての大変化を経つつあるが、時と勢いはわれわれの側にある。この事実こそわれわれの定力〈ぶれない力〉と気概の源であり、決意と自信の源だ」

「時勢は我に有利」と見る習氏は幹部らの心構えを次のように説いた。

「高級幹部は必ず中華民族の偉大なる復興戦略の全体像と、百年で初めての世界の大変化を踏まえよ。各自の胸に『国之大者』（国家の大事）を刻み、たえず政治判断力、政治理解力、政治執行力を高めよ」

目の前で進行中の世界情勢の大変化を中国優位の変化となすよう、あらゆる好機を摑み取れ、そのために全身の神経を針ネズミのように逆立てよと檄を飛ばしている。

だが中国共産党の足下の危うさは、国内治安維持に人類史上前例のない完全な国民監視システムを構築し、軍事費よりも尚大きな予算を充てなければならないことからも明らかだ。

それでも足りずに中国共産党は幾百万人を拘束し、発言を封じ、政府批判を罰する。多くの人々が責め苦の中で絶望し、拷問され、死に追いやられている。ポンペオ前国務長官は中国のウイグル人に対する所業は「ジェノサイドで、人道に対する罪」だと認定した。ブリンケン新国務長官も同認定を受け入れ、バイデン政権は中国に対して何らかの措置を迫られることになった。

他方、コロナ禍で傷ついた日米欧諸国と較べて、中国の回復振りは確かに速い。経済活動も回復途上にあり、2020年の10～12月の実質成長率は前期比で2・3％と中国は発表、年率換算すると11％程度となる。国民の行動を中国のような強権発動でコントロールできない国々では、経済の回復においても足踏みが続く。その結果、中国が国内総生産（GDP）で米国を追い抜くのは、当初予見されていたよりも早く、28年にも逆転する可能性がでてきた。

## 中国共産党の安堵感

自信をつけた中国はバイデン政権を様々な角度から試している。バイデン新大統領が1月20日、21分間の就任演説で、団結と民主主義の重要さを米国民に語りかけていたのと丁度同じ頃、習氏ら中国共産党幹部は全国人民代表大会（全人代）で香港政府の行政長官や議会の選挙制度について、民主派勢力を徹底的に殺《そ》ぐための改悪案を論じていた。同案は3月5日開会予定の第4回会議で具体化すると見られている。

産経新聞台北支局長の矢板明夫氏が指摘するように、中国はいまや米国に何の気兼ねもせずに香港弾圧をやってのける。中国側は共産党内部の会議でバイデン演説とは正反対の、民主主義圧殺のための制度改革を議論し、香港の徹底的弾圧政策を画策する。その一方で、共産党機関紙「環球時報」は米国向けに次のような偽善的な主張を展開するのである。

「バイデンは五つの課題を掲げた。ウイルス、格差、人種差別、気候変動、世界における米国の地位だ。(中略)中国は米国のパートナーとなってウイルスとの戦いで手を貸し、気候変動問題を解決し、経済成長を押し上げることができる」

バイデン氏が中国の助力を受け入れればウイルス問題も含めて難問を解決できる、助けてやろうというのだ。世界にウイルスを拡散させた中国共産党のなんと鉄面皮なことか。同時に彼らはこうも書いている。

「米国世論はバイデンを弱い大統領と見做している」「新大統領の議会における力も弱い」

バイデン氏は全く軽く見られているのである。氏は21分間の就任演説で武漢ウイルスをはじめとする国内問題に20分を費やし、残り1分で外交を論じた。中国には一言も触れなかった。環球時報も書いている。「中国には一言も触れなかった」と。中国共産党の安堵感を読み取るのは私だけではあるまい。

確かに演説全体に占める外交・安全保障問題の比重は小さく、バイデン氏の国際社会への関心の低さを表わしているとも言える。同時に、「自由で開かれたインド・太平洋戦略」や南シナ海、東シナ海、台湾問題に、どれ程の注意を向けているのかは、氏がこれから予定する外交演説を待たねばならないが、就任演説段階では、バイデン氏の国際情勢に対する言及は殆んど無きに等しいのだ。

そのことを試すかのように、中国人民解放軍(PLA)が大胆な挑発行動に出た。23日のことだ。爆撃機「轟6」8機、ステルス戦闘機「殲16」4機に、対潜哨戒機を加えた13機編成で台湾南西空域の防空識別圏(ADIZ)に侵入したのだ。これまで1機乃至《ないし》3機編成だったのが、一気に13機の大編隊によるＡＤＩＺ侵入は、バイデン政権を試す明確な政治的メッセージに他ならない。

## 完全な恫喝外交

米国政府は直ちに反応した。国務省のプライス報道官が中国に「台湾への軍事、外交、経済的圧力を停止し、意味ある対話に取り組むように」と促したのである。プライス氏はさらに重要発言を重ねた。

「米国は民主体制の台湾との関係深化も含めてインド・太平洋地域において友邦や同盟諸国を支えていく」「米国の台湾へのコミットは盤石（rock-solid）だ」「（台湾の独立を守るための）台湾関係法を維持する」

丁度同じ日、米海軍の空母「セオドア・ルーズベルト」が打撃群と呼ばれる一群の艦船を伴って、台湾南側のバシー海峡を通過して南シナ海に入った。中国軍が空から侵入すれば、米軍が海上から睨みを効かした。

すると翌日、中国軍は前日を上回る15機編成で台湾のＡＤＩＺに侵入した。さらに翌日には環球時報が社説を掲げた。米中の相互理解の基本的枠組みが失われ、戦略的誤判断の確率が高くなっている。中国人民解放軍の戦闘機が台湾を周回飛行し、「海峡中間線」を越えるのはすでに常態となっている。米中共にますます相手の意図を読めないところが増えている。だが、台湾海峡情勢に対する主導力を最も素早く高めているのは疑いなく大陸側である。解放軍の戦闘機が台湾本島の上空に現れるのは時間の問題だろう。完全な恫喝外交を展開する中国はこう脅す。米国はトランプ政権の政策を受け継いではならない、「中国はひとつ」の原則に戻れ、さもなくば軍事紛争だ、と。

バイデン氏はこのような中国の恫喝に耐えられるか。日本は米国と共に台湾の側に明確に立てるか。矢板氏は中国の一連の行動は南シナ海に中国のＡＤＩＺを設定するためだという。

「ＡＤＩＺを敷いてしまえば南シナ海の実効支配がより完全になります。彼らはその準備をしていると思います」

中国は今こそ覇権確立の時と見る。日本は祖国防衛の戦いを挑まれる可能性がある。覚悟が問われている。

（２０２１年２月４日号）

## 見えてこない米国のインド・太平洋戦略

トランプ、バイデン新旧米政権の国家安全保障問題担当大統領補佐官が、党派を超えて対中政策で幅広く合意した。ジェイク・サリバン新大統領補佐官は、日米豪印4か国が構成する「自由で開かれたインド・太平洋戦略」の軍事的枠組み（クアッド）が、米国の国防政策の基本であると正式に認めた。また、いくつかの前提を置いたうえでのことだが、ウイグル人、香港、台湾への好戦的な恐喝に対して、米国は中国に対価を払わせる、その準備を進めていることを、明確かつ継続的に伝えるとも語った。

一連の発言は2021年1月29日に、米シンクタンク「米国平和研究所」のオンライン対談でロバート・オブライエン前大統領補佐官を相手に発信された。両氏はこれから先、幾世代にもわたって中国が最大の脅威だという点でも意見の一致を見た。

ポンペオ前国務長官が、中国共産党政府のウイグル人弾圧を「ジェノサイド」（民族大量虐殺）と認定したのが退任前日の1月19日だ。同日、民主党の国務長官候補として上院の公聴会に臨んだブリンケン氏も財務長官候補のイエレン氏も、ポンペオ氏の認定を受け入れた。

ブリンケン氏はさらに、中国共産党は新疆ウイグル自治区でウイグル人を強制労働させており、強制労働による製品の輸入禁止に向けて米国はあらゆる対策を講ずると踏み込んだ。

公聴会でのブリンケン氏の発言は興味深く、米国東部のエリート家族の出身である氏が人権に非常に強い拘りをもっていることがよくわかる。氏の妻、エヴァン・ライアン氏は教育文化担当次官補である。伯父はベルギー大使、父はハンガリー大使、母はハンガリーからの亡命者で、祖父はロシアからの亡命者だ。すでに亡くなっているブリンケン氏の継父はホロコーストの生存者だ。

彼はポーランドの収容所を脱出し、森に逃げた。戦車の音が迫ってきたとき、見上げると戦車には星条旗がはためいていた。彼は必死に駆け寄った。彼を見つけたのは黒人のGIだ。彼はひざまずき、母に習った英単語三つを大声で言った。「God Bless America」。GIは彼を引っ張り上げ戦車に保護した。

## 中国批判の本気度

「これがわが一族です。わが家族の物語は、不完全ではあっても最善を尽くし続ける米国の姿を世界に示すものです」と、ブリンケン氏は語った。

家族の物語を語ったブリンケン氏から中国批判の本気度が伝わってくる。人間を人間として遇さない中国共産党、中国式法解釈を国際法にとって代わらせようとする独善的な習近平国家主席、力による外交の根拠となっている中華帝国主義の全てに対し、本気で憤っている。

これら担当者の言葉を信ずる限り、バイデン政権の対中政策は非常に厳しいものとなるだろう。しかし問題はここからだ。バイデン氏は武漢ウイルス、経済の停滞、人種差別と社会の分断など国内問題に集中せざるを得ず、外交、安全保障問題は自ら陣頭指揮するのではなくベテランに任せた。外交の目玉としての環境問題はジョン・ケリー氏に、安全保障問題はカート・キャンベル氏に託した。

米国や日本、その他諸国が安全保障の危機に直面している元凶は中国だ。彼らの横暴な振舞いが最も顕著なのは南シナ海、東シナ海、インド洋、太平洋、つまり広い意味でのアジアである。そのアジア全域とほぼ同義のインド・太平洋地域における調整官に任命されたのがキャンベル氏だ。

ケリー氏もキャンベル氏も、他の官僚たちより20歳ほども年長である。若い官僚たちがベテランを巧くコントロールできるのか。またベテラン達は本当に機能するのか、疑問を抱く幾つかの理由がある。

まず、キャンベル氏はヒラリー・クリントン国務長官に国務次官補として仕えた。様々な意味で経験豊かな氏ではあるが、評価は米国でも二分されている。批判する人々はキャンベル氏はビジネスマンだという。中国との利害関係があるのではないかというニュアンスを伴った批判である。

もうひとつ、政策上の成果がないという点も挙げられる。ヒラリー氏とオバマ政権は、米国の国防の軸足を中東からアジアに引き戻す「Pivot to Asia」(アジア基軸への転換)を提唱した。同戦略の考案者がキャンベル氏だと言われている。同戦略の特徴は中国の脅威を強調はしたものの、実際には何の具体策も講じられなかったことだ。言っていることは正しいが、言い放しで終わった。何も実行されなかった。口先ばかりの戦略だった。

キャンベル氏ひとりの責任ではないが、オバマ政権と同じ有言不実行、口ばかりの失敗の型に、再びバイデン政権が陥ることはないのか。

キャンベル氏は2018年3・4月号の外交専門誌「フォーリン・アフェアーズ」に寄せた「中国収支　北京は如何に米国の期待を裏切ったか」で、米国の中国に対する関与政策の誤りを指摘した。豊かになれば中国は米国のように民主的で開かれた国になると信じ、支援してきた長年の対中宥和策への批判だった。

## 対中政策に不安

だが、キャンベル氏の批判よりずっと前にマイケル・ピルズベリー氏が中国の正体を指摘し、その著書はベストセラーになった。17年1月にはトランプ政権が誕生し、同年12月には、中国を米国の脅威と見做す国防戦略も発表された。キャンベル氏はワシントンの風向きの変化を受けとめた論文を書いただけなのか。

このキャンベル氏がバイデン政権でのインド・太平洋全般の安全保障問題を「調整」する。氏は1月12日に電子版フォーリン・アフェアーズに「米国は如何にしてアジアの秩序を支えられるか」を寄稿した。

ヘンリー・キッシンジャー氏が若き日に、19世紀の欧州事情について書いた論文を元に現在の米中関係の在り方を説いた内容だが、正直に言って参考にならない。何よりも注目すべき点は、キャンベル調整官は「インド・太平洋」を論じながら、一度も「自由で開かれたインド・太平洋」とは書いていないことだ。

キャンベル氏は、調整官として国防総省、国務省を中心に省をまたぐ広い視野で中国問題に取り組む立場にあるが、冒頭で紹介した新旧二人の安全保障問題担当大統領補佐官が「自由で開かれたインド・太平洋」こそ米国防政策の基本だとする立場とは対照的だ。これで大丈夫か、と疑うのは自然なことだろう。

「アジアに軸足を」との氏の政策提言は言葉だけに終わった。そしていま、インド・太平洋調整官として、氏は政策提言さえも満足にできていないというのは、言いすぎだろうか。

キッシンジャー氏はその全収入の5％を中国から得ているそうだ。5％という数字の正確さは私にはわからないが、中国とのビジネス上の関係が深いことは想像できる。そのような人物を尊敬しているとするキャンベル氏、ひいてはキャンベル氏にバイデン氏が依存するとしたら、バイデン政権の対中政策に不安を抱くのも、これまた自然なことなのだ。

（2021年2月11日号）

## 米政権、危うい教条的正しさ

バイデン政権発足から約3週間、彼らが何を目指しているのかが、ようやく少し見えてきた。

2021年2月5日の「言論テレビ」でジャーナリストの木村太郎氏が指摘した。

「バイデン政権の閣僚に極左は入っていませんが、強く左に傾くと確信したのが1月26日のスーザン・ライス氏の声明です。彼女の『人種公正構想』(Racial Equity Initiative) で、そう思いました」

ライス氏は国内政策会議委員長として国内政治の全てに口出しできる立場に立った。彼女は会見で、連邦政府の全ての省が米国の全家族に対する「公正な扱い」を政策の基本に置かなければならないと語ったのである。

鍵になるのがこの「公正」という言葉だ。英語では equity である。equity の説明は後述するとして、彼女はこう述べた。「バイデン大統領も、公正さを高めることが (連邦政府職員) 全員の仕事だと仰った。私の主張にはホワイトハウスと全省の支持がある」「この挑戦は私にとって個人的な挑戦でもある」。また彼女は「私はジャマイカ移民と奴隷の子孫であり、祖父母、両親、そして私自身、アメリカン・ドリームの恩恵を受けてきた」と胸を張った。

だが、いま、経済・司法・社会機構における制度的人種差別と不平等が多くの米国人をアメリカン・ドリームから遠ざけていると言うのだ。

ライス氏は、「コロナウイルス禍で食べるものに事欠く黒人とヒスパニックの家族は白人家族に較べて2倍も多い」「コロナウイルスによる同様の比較では死亡率は2・8倍だ」と指摘する。米国の全ての人種が公正に扱われることで経済は活性化し、5年間で雇用は600万人、経済効果は5兆ドル（約550兆円）に及ぶ、しかしながら過去20年間は人種的不公正ゆえに米国は16兆ドル（約1760兆円）も失ったと強調した。

ライス演説と同じ日に、バイデン大統領は大統領令、〝人種公正法〟に署名した。ここでもキーワードはequityだ。木村氏は「エクイティ」こそ、民主党を特徴づけていると喝破した。

## 「言葉狩り」改革

「ライス氏はequity（公正、平等）を強調して、これを全ての政策の根幹に据える、全省庁の政策がそれに沿っているか、モニターしますと言いました。equityに似ているものにequalityがあります。これは人間は生まれながらにして全て平等だという意味で、アメリカの独立宣言の精神です。でも独立宣言にはequityとは書いていない。equityは『結果平等』という意味です」

ライス氏の主張に沿えば、「黒人は不平等に扱われているのだから、最終的にそれを是正して人工的に平等にすべきだ」ということになる。それがequityである。

ライス氏は民主党政治の根幹にこの「結果平等」を置く。対して2月3日の「ウォール・ストリート・ジャーナル」（WSJ）紙で、著名なコラムニストのジェイソン・ライリー氏が次のように反論した。

「ミルトン・フリードマンは、もし社会が自由よりも平等を優先すれば、その社会は自由も平等も実現できないだろう、反対に平等よりも自由を優先すれば、両方をより良く実現できるだろう、と語っている」

ライリー氏はさらに、バイデン大統領やライス氏が批判するトランプ前大統領の施策についてこう書いた。

「コロナウイルス襲来の前、トランプ政権下における黒人やヒスパニックの貧困率及び失業率は記録的に低かった」「歴史に学べば黒人が政府に求めるのは（自由な生き方の）邪魔をしないでくれということだ」

ライリー氏は多くの具体例をあげて、バイデン政権の推進する結果平等の施策が黒人たちの成功を妨げていると説く。ちなみに氏は『我々への援助を停止せよ　リベラル派が黒人の成功を妨げる』などの著者で、黒人である。

人種平等を目指すバイデン政権の理想は無論、高く評価すべきだ。他方、結果平等政策は真に自由な才能の発露を妨げ、世の中を歪めてしまいかねないと危惧する。木村氏が語った。

「ライス発言は早速、東部の名門、イェール大学に波及しました。イェールはかつて人種的バランスを考えて入学者の割当制を実行していた。トランプ政権は逆差別だとして訴えていたが、バイデン政権になって司法省はその訴えを取り下げました」

民主党政権の米国は、結果平等志向を強めていくのであろうか。そういえばもう一点、注目すべきことがあった。1月4日、ナンシー・ペロシ下院議長が率いる下院の規則において、性差に関わる言葉の使用を禁止する、「言葉狩り」改革を決定したことだ。

たとえば、お母さん、お父さん、お姉さん、お兄さん、息子、娘などの替わりに親、子供などとしなければならないそうだ。他国のことなのに余計なお節介かもしれないが、語彙の豊富さは感受性の豊かさや深さと密につながっている。多様な言葉をこのように選別してふるい落とすことには全く賛成できない。愚かな改革であり、行きすぎたポリティカル・コレクトネスである。

## ミャンマーが中国に近づく

バイデン政権は正しさを求めるあまり、教条的かつ硬直的になるのだろうか。それが外交に反映されるとどうなるか。ミャンマーを事例に考えてみよう。

2月1日に軍事クーデターが起こりアウンサン・スーチー氏らが自由を奪われた。ミャンマーは中国にとって戦略上、地政学的に極めて重要だ。彼らはミャンマーを押さえれば雲南からベンガル湾にパイプラインを通し、中東の油を南シナ海を経由せずに輸入できることを戦略上、非常に重要視している。米国にとって、ミャンマーが中国陣営に取り込まれることはインド・太平洋、南シナ海戦略上、どうしても避けたいことである。

2011年にヒラリー・クリントン国務長官（当時）がミャンマーを訪れ、スーチー氏と歴史的会談を行った。翌年、オバマ氏が現役米大統領として初めてミャンマーを訪れた。米国との接近の中で、ミャンマーは中国と合意していた巨大なミッソンダムの建設を中止した。ミッソンダム建設中止を主導したのがミャンマーの国軍だった。国軍は中国を強く警戒している。

だが中国は忍耐強い。ミャンマーが米国に接近し始め、中国と距離を置き始めると、非常に友好的な外交に転じたのだ。ミャンマー政府要人、とりわけスーチー氏の支持基盤である「国民民主連盟」（ＮＬＤ）の幹部らを、全額、中国持ちで招き続けた。その回数は１０００回を超えると言われている。そうした中で、イスラム教徒のロヒンギャの人々への弾圧が始まった。米国はロヒンギャへの民族弾圧に強く抗議した。米欧はスーチー氏がロヒンギャへの弾圧を止めさせないとして、彼女に与えられたノーベル平和賞を返還せよとの声さえ上げた。斯くして米欧諸国とスーチー氏の関係は冷え込んだ。そこに軍事クーデターが発生した。

ブリンケン国務長官は早速、軍事クーデターについて厳しい制裁措置を取る姿勢を打ち出した。問題は、米国が厳しく対処すればミャンマーは一層中国に近づいてしまうことだ。それだけは避けるべきだ。

政治は「正しさ」だけで目的を達成することはできない。中国を相手にしたたかに立ち回り、ミャンマーをこちらの陣営に引き留められるかが問われている。「正しさ」の旗を掲げるバイデン政権を懸念するゆえんだ。

（２０２１年２月18日号）

【追記】

ミャンマー情勢の出口は中々見えてこない。21年4月24日に東南アジア諸国連合（ＡＳＥＡＮ）はインドネシアの首都ジャカルタで臨時の首脳会議を開き、ミャンマーのミン・アウン・フライン国軍総司令官も参加した。ＡＳＥＡＮ諸国は軍事クーデターを起こしたフライン司令官をミャンマー代表として受け入れながらも、国軍に反対するミャンマー国民への暴力を停止するよう求めた。しかし、ＡＳＥＡＮ自体が民主主義の回復に向けて国軍とミャンマー国民の対話を促すインドネシア、マレーシア、シンガポール、フィリピン、ブルネイのグループと、そのようなミャンマー国内政治に介入すべきでないとするタイ、ベトナム、ラオス、カンボジアのグループに大別されていることから、それ以上の強い要求を打ち出すことはできないでいる。

内政不干渉政策で、要は中国の影響下に入ればおよそ全てのことに目をつぶる中国と、民主主義の実現、スーチー氏の解放などを要求する米国の間でも、ミャンマーに関しての話し合いは進んでいない。その間にミャンマーでは武漢ウイルスが広がった。2月1日の軍事クーデターの前、インドがミャンマーにワクチンを供給していた。しかし、クーデター発生で医師も看護師も職務を放棄する人々が続出し、ワクチン接種は進んでいない。武漢ウイルスはさらに広がり、デモ参加者を拘束する刑務所でも感染者や死者がふえている。

中国はこのような情況下で、軍事政権に対する非難は一切行わず、5月に入って中国製ワクチン50万回分をミャンマーに届けている。中国によるミャンマー取り込みは果たして実を結ぶのか。不透明な状況が続いている。

このような時こそ、本来なら日本が一定の役割を果たすべきなのだ。中国とは異なる方法でこれまで日本はミャンマーを扶《たす》けてきた。しかしいま、日本はスーチー氏側との連絡はとれても、軍事政権側との意思の疎通がはかりにくい状況が生じているという。日本の外交能力が落ちたといえばそれまでだが、日本にとって非常に大きな意味をもつＡＳＥＡＮ外交をもっと重視しなければならない。

## 日本は価値観共有で危機を乗り越えよ

朝鮮半島情勢に詳しい鈴置高史氏が興味深いことを語っていた。２０２１年２月４日に行われたバイデン・文在寅両首脳による電話会談について、青瓦台（大統領府）が３種類の情報を出していたというのだ。

「米韓会談直後の発表では青瓦台は両国の海上協力については全く触れませんでした。これは、米国は韓国を北朝鮮との関係における協力相手とのみ見做していたという意味です。しかし間もなく発表された２回目の情報は、米韓は北東アジア地域での協力で合意したという内容でした。３回目の発表では両国は朝鮮半島を超えてインド・太平洋で協力するとされました」

日本は韓国より１週間も前にバイデン氏との首脳会談を済ませており、米国とインド・太平洋における協力体制を推進することで合意していた。にも拘わらず、米国は韓国に日豪並みの協力を求めなかった。文在寅政権に散々振り回されてきた日本側から見れば、理解し易いことだが、文氏や韓国政府側は如何にも韓国が軽く見られているとの思いを抱いたのであろう。次々に発表内容を変えたのはその所為《せい》だと思われる。

この首脳会談以前に米国政府が示した朝鮮半島への関心は、一言でいえばかなり薄い。

１月27日、ブリンケン国務長官は長官就任後初の記者会見を行ったが、ここでは北朝鮮問題に全く触れていない。国家安全保障問題担当大統領補佐官のサリバン氏も1月29日、日米豪印による集団安全保障協議体（クアッド）の会議で4か国の協力体制強化を謳いながら朝鮮半島に触れなかった。こうした事情の中、文氏は米国も米韓関係を重視しているとの印象を与えたいために、さまざまな小細工を施していると思われる。

文大統領はバイデン氏との会談に先立つ1月26日、中国の習近平主席との電話会談に応じた。会談では、習氏が「（朝鮮半島）非核化の実現は（両国の）共通の利益になる」「中国は（非核化への取り組みを）積極的に支持する」と述べ、文氏は習氏の積極的な支援を歓迎したという。だが後述するように、肝心の文氏の言動がここでもおかしいのである。

## 秘密ファイル

北朝鮮の非核化は中韓のみならず日米両国も強く望むところだ。その共通の目的に向かって、１９９４年の米朝枠組み合意に基づいた「朝鮮半島エネルギー開発機構」（ＫＥＤＯ）への協力が始まった。六か国協議は２００８年まで繰り返し北朝鮮への支援を実施した。だが、当事者中の当事者である文氏の側に裏切り工作疑惑が浮上した。

1月28日、韓国ＳＢＳテレビが文政権による北朝鮮への原発支援計画を示す秘密ファイルについて報じた。「産経新聞」の久保田るり子氏が2月7日の「朝鮮半島ウォッチ」で詳報したものだが、それによると、検察捜査で、産業通商資源省の「60pohjois」と記されたフォルダから多数の秘密ファイルが発見された。pohjois はフィンランド語で「北」を意味するそうだ。ファイル作成は２０１８年5月だった。

周知のように同年4月27日、文氏は北朝鮮の金正恩委員長（現在は総書記）と初会談を行っている。そのとき文氏が、自らの経済発展構想や南北共同プロジェクトの概要をおさめたUSBメモリーを金氏に渡したことは広く知られている。また世界が注目する中、二人は屋外で44分間も話し込んだ。その映像を読唇術で解読した結果、「発電所」「原子力」という言葉が読みとれたと報じられた。

久保田氏は、秘密ファイルには韓国の北朝鮮エネルギー支援として3案が示されていたと指摘する。①KEDOが軽水炉建設を進めた場所に原発を建設する、②非武装地帯（DMZ）に建設する、③建設中止となっている韓国の原発、新ハヌル3・4号機を完成させて北朝鮮に送電する、である。

事実なら、朝鮮半島の非核化で中国及び米国と協力するという文氏の公式な立場は全面的に虚偽になる。国連安保理の対北制裁、米韓原子力協定違反の裏切りである。

文政権は即、秘密ファイルへの関与を全面否定したが、このような重要な意味を持つ国家プロジェクトを、役所が単独で描けるとは思えず、疑惑は深まっている。

文氏との連携は確かではないが、金氏は21年1月5日開始の労働党大会で、突然、「新たな原子力潜水艦の設計研究が終わり、最終審査段階にある」と発表した。また、水中発射の核戦略兵器の保有を目標として設定したとも語った。

遡ること約1年、19年12月末の労働党中央委員会では、金氏は「世界はわが共和国の保有する新たな戦略兵器を目撃することになる」と予告していた。北朝鮮の大胆な核戦略への支援に文政権が前向きなのではないかとの疑惑は拭えない。

## 革命の国

文氏は大統領就任直後から顕著な民族優先主義を唱えてきた。氏の朝鮮半島の未来図の基本は民族主義である。『反日種族主義との闘争』（文藝春秋）の著者、李栄薫《イヨンフン》元ソウル大学経済学部教授は、文氏の信奉する民族主義は北朝鮮を民族・民主革命を遂行したとして高く評価するところから始まるものだと語る。

文氏が人生の師と仰いだ盧武鉉元大統領は、左翼革命思想家たちのバイブル、『解放前後史の認識』という6冊のシリーズ本の思想の申し子だ。

彼らの精神世界では、中国は人本主義に溢れる革命の国で、将来、米国に代わって世界をリードする先進文明の国と位置づけられている。北朝鮮は、物質的には苦しくとも精神的には豊かな国で、韓国の物質と北朝鮮の精神を統合すれば、日本など一気に追い抜ける強国になると説いている。

これが、文氏が政権発足直後から幾度か口にしてきた、南北間の低い段階から始める連邦政府なのである。それが民族統一、平和統一の第一歩だと、文氏が考えているのは確かだろう。

この考えを突き詰めると、世界に君臨すべき大国は、米国ではなく中国となる。文氏の韓国は、最終ゴールとして中国が世界の中心に立つ中華帝国の一員を目指していると見るべきだろう。

この文政権とどう向き合うか。米国の朝鮮半島への関心が希薄であることは先述した。対照的に中国はじっと狙いを定めて、完全掌握の機を窺っている。

日本に出来ることは、まず、韓国が中国に引き寄せられる状況に備え、あらゆる意味で日本の力を強化することだ。その先に、クアッドの体制強化の必要性を関係国に説き、参加意欲を見せる英国を急ぎ招き入れるべきだ。英国にはＴＰＰへの道を急ぎ開くのがよい。次に韓国内で広がる反文在寅の国民運動と連携し、次の大統領選挙に備えるのがよい。

（２０２１年２月25日号）

**【追記】**

21年７月時点で文在寅大統領はすでにレームダックだ。22年３月９日に大統領選挙が行われるが、文氏はそれまでに何か大きなこと、たとえばノーベル平和賞をとるようなことをやり遂げて、監獄に追いやられるような事態を避けたいと考えているようだ。そのためには、後継の大統領に子飼いの人物を据えなくてはならない。現時点で有力とされている３人の候補についてみてみよう。

まず、京畿道知事の李在明《イジェミョン》氏である。氏と後述する元首相の李洛淵《イナギョン》氏は、与党「共に民主党」の候補者指名を争っている最中だ。両氏のいずれが候補者に選ばれるのかは、わからない。

だが李在明氏は韓国のトランプと言われ突発的な発言が多い。桜の木を全て引き抜き切り倒すなど反日である。経済政策というべきものはなく、バラ撒き政策で人気度を上げようとする傾向がある。つきつめれば、個人の所有権を制限し、国が全国民に生きていけるだけの基本所得を配る方向を目指している。

李洛淵氏は東亜日報の東京特派員だった関係で日本語が流暢だ。その後国会議員となり、そのあと全羅南道の知事を務めた。出身地は金大中氏と同じだ。人柄は温厚だと言われるが節操がないとも言える。文大統領の意を迎えるために北朝鮮の主体思想に共鳴してみせたりもした。東京五輪には竹島問題を口実に韓国はボイコットすべきだとも主張した。

もう一人は元検事総長の尹錫悦《ユンソクヨル》氏だ。尹氏は文政権と対立したことから、恰も民主主義的な人のように見られているが、当初は文氏と共に朴槿恵前大統領を無実の罪で逮捕した張本人だ。根本的に信用できない人物だといえる。

これから22年3月まで、韓国の政治はサッカーゲームのように大きく変化し続けると考えた方がよい。この3人の誰が次期大統領になっても日韓関係の改善は期待できない。そのことだけは心に刻んでおきたい。

## 五輪、北京に開催の資格はあるのか

国際平和と友好を象徴し、政治を超越したスポーツの祭典とされながら、五輪はおよそいつも高度に政治とカネによって差配されてきた。だからこそ、いま警戒すべきは約1年後、北京冬季五輪を成功させて勢力拡大をはかろうと考える中国共産党政権である。

北京五輪より前の2021年7月に開幕する東京五輪は、五輪組織委員会会長に橋本聖子氏が就き、再起動した。前会長、森喜朗氏の「女性の多い会議は時間がかかる」という趣旨の発言が「女性蔑視」、五輪憲章の精神に著しく反すると、内外で激しい反発を招いた。

長い文脈から一部だけを切り取られて拡散された森氏の発言はそれだけを見る限り、確かに不適切だ。他方、全体の文脈で見れば、大手メディアがこぞって非難し、NHKをはじめとする巨大な存在がこれ見よがしに世界に向けて報じるべき発言だとは思わない。にも拘わらず、氏は謝罪し辞任した。これで十分ではないか。むしろ、私は森氏が高齢と病身を押して献身的に東京五輪開催の準備をしてきたことを評価し、その献身に感謝するものだ。

そこで問題提起である。森発言に反発しているメディアやいわゆる有名人は、北京政府がどんな非人道的な所業を重ねているかについてきちんと把握し、森氏に対する抗議の幾百万倍も強い抗議の意志表示をすべきだということだ。北京五輪開催を掲げる中国政府の所業は、森発言とは異次元の、人道に対する究極の罪に相当するからだ。

北京政府は100万人規模のイスラム教徒、その大半はウイグル人だがカザフ人らさまざまな民族のイスラム教徒を、厳しい監視下においている。信教、思想、言語、文化、あらゆる面において、全ての自由と民族的特性を奪い去りつつある。ウイグル人女性たちは毎晩のように連れ去られ、兵による集団レイプを受けている。ウイグル人は男女を問わず、多くが避妊手術を強制され、中国共産党の民族浄化作戦の下で、この世の地獄を生きている。

こうした告発を中国共産党政府は真っ向から否定する。ウイグル問題などは全て中国の国内問題であり、外国政府や外国人の干渉は許さないと強弁する。さらに中国がカネで買収したり取材の便宜をはかったりして取り込んだ第三者に、中国政府のウイグル人政策を褒め讃える論考を書かせる。

かつて毛沢東は米国人記者のエドガー・スノーを味方に引き入れ、中国共産党を理想の党として描かせた。今は新華社がパリで暗躍中だ。2月18日、新華社は「新疆を二度訪れ、西側の嘘を暴く」と題してフランス人作家のインタビューを配信した。

## 人道に対する罪

このフランス人の物書きは新疆ウイグル自治区は「急速に発展」しており、ジェノサイドはデマだと語っている。中国の思惑にぴったり合致する。第三者を利用して中国に都合のよい国際世論を創り上げていく手法は時代が変わっても基本的には変わらないのである。私はこのフランス人作家のインタビューを読んで既視感を覚えたものだ。

ウイグル人がどれほど弾圧され、ウイグル人女性がどれほどレイプされ、殺されているか、すでに漫画家の清水ともみさんと静岡大学教授の楊海英氏が『命がけの証言』（ワック）にまとめている。ちなみに清水さんはモンゴル人についての著書も間もなく上梓する。

米国議会は中国共産党の民族弾圧に関する詳細な報告書をすでに発表済みで、中国の悪業は共和、民主両党の共通認識となっている。本書でも幾度か触れているが、共和党から民主党への政権交代時に両党はウイグル人に対する中国共産党の所業がジェノサイドであるとの認定を共有した。ジェノサイドは人道に対する罪で、時効がない。米国の決意は固い。

ポンペオ前国務長官は2月16日、ＦＯＸニュースの番組に出演して、北京五輪をナチスドイツが主催した１９３６年のベルリン五輪になぞらえ、冬季五輪の開催地変更をＩＯＣ及びバイデン政権に提案すると語った。1月22日には、共和党上院議員７人が同趣旨の決議案を提出した。

ジェノサイド疑惑の北京政府に五輪開催の資格を与えてよいのかが問われている。その問いは、世界中の国々に中国共産党の本質に正面から向き合うことを求めている。これまで日本も国際社会も、中国共産党の本質を読み違えてきた。かつてと同じ間違いをしてはならない。２００８年の北京五輪のとき、世界は中国共産党によるチベット弾圧に目をつぶった。チベット人は焼身自殺という最も苦しい死を選んで、世界に中国共産党の非道を知らせようとした。それでも私たちは北京五輪に参加した。

それ以前の１９８９年、北京政府は天安門で学生や市民多数を殺害した。だが、対中制裁に我が国は消極的だった。ブッシュ（父）米政権は天安門事件発生からひと月後に、密使を鄧小平の許へ送った。こちら側の一連の甘い対応を北京政府は嗤ったに違いない。

中国共産党は一党独裁体制を守るためには漢民族、異民族を問わず、血の弾圧をやめない。これからも続ける。そうしなければあの政体はもたないからだ。チベット、ウイグル、モンゴル、香港、さらに劉暁波氏のような中国共産党一党独裁に立ち向かう漢民族。彼らへの弾圧は被弾圧者の心が砕かれ尽きるまで続く。被弾圧民族が、或いは考える存在としての知識人の一群が消え去る日まで続く。やがて台湾も搦めとられる危険性がある。沖縄も例外ではない。

## 冬季五輪の開催地変更を

にも拘わらず、日本も世界も中国市場の大きさに幻惑され、目先の利益を追う。或いは、深い歴史と文明に魅了され、中国の本質を見誤る。独裁性、非民主性、残虐性、国際法違反を特徴とする共産党政権のおぞましさにも異を唱えきれない。今日の状況を招いた責任の半分は、物を言わずにきた私たちの側にある。

だからこそまず、私たちは自問しなければならない。私たちは世界を大中華主義で染めたいのか。人権弾圧を許して民主主義を息絶えさせたいのか。国際法に替えて中華の法を確立し、世界秩序を大転換したいのか、と。中国の言動をこのまま受け入れ続ければ、いつか世界全体が中華の支配するところとなる。

そんなことはおよそ誰も望んでいない。現行の民主主義がたとえ不完全であっても、地球社会は民主主義体制の下にある方が幸せである。国際法を遵守し、人権を尊重し、人種、民族、宗教に拘わらず全ての民族、全ての人々の自由と尊厳を守るにはその道しかない。中華帝国の下では、人間は幸せとは遠いところに連行され打ち捨てられるだろう。

バイデン大統領は21年、民主主義グローバルサミットを開くと公約した。まさに価値観の戦いの戦端を開くということだ。中国の一党独裁専制政治とは正反対の道を探る米国に、わが国でも協調の動きが出始めている。

超党派の「対中政策に関する国会議員連盟」はジェノサイド疑惑についての調査の必要性を訴えている。自民党の「日本ウイグル国会議員連盟」が古屋圭司会長の下、超党派議連に発展改組する。各議連に期待しつつ、具体的行動として、北京冬季五輪の開催地変更を世界に呼びかけることも可能だろう。その場合、代替国を具体的に示す必要がある。相当な準備が必要だが、北京での五輪は相応しくないという真剣な問題提起につなげなければならない。アジアの大国、日本が声を上げるのが大事ということだ。この点で米国と明確な形で協調することだ。中国との熾烈な価値観の戦いで、いままた少しでも譲ることは、民主主義の道を喪う結果となるだろう。

（２０２１年３月４日号）

**【追記】**

信じ難いことだが、わが国の立法府は中国政府によるウイグル人弾圧に関して非難の国会決議をすることができなかった。「新疆ウイグル等における深刻な人権侵害に対する非難決議案」なるものが、私の手元にある。そこには中国という国名がない。「新疆ウイグル、チベット、南モンゴル、香港……」と書いているため、非難の対象国が中国だろうというのは推測できるが、なぜ、はっきりと「中国」と書かないのか。さらに、「香港」のあとに「ミャンマー」と書かれている。対象国として中国が入っていないにも拘わらず、ミャンマーを入れたのだ。

わが国の〝選良たち〟の思考回路は、中国がこわくてあちらこちらで切断されているのだろう。ミャンマーを非難対象国とするのであれば、その百倍の表現で中国こそ、入れなければならない。

そして決定打は、こんな殆んど意味のない案であるにも拘わらず、この案自体が葬り去られたことだ。つまり、わが国は中国政府の行っているジェノサイドと形容される弾圧に、声ひとつ上げなかったということだ。全会一致でなければ国会決議は出来ないなどという説明があるが、中国政府への遠慮が先に立ったということだろう。

公明党が断固として反対したというが、その公明党に自民党が従ったのは、そうしなければ選挙のときに票を回してもらえないという事情ゆえではないのか。立憲民主も中国非難決議には極めて後ろ向きだった。わが国の政界に有為の人材はいなくなったのか。国民はこんなダラシのない政治家達に強く憤っている。

## 歴史捏造のＮＨＫは朝日と同じだ

慰安婦に関する嘘は、朝日新聞が喧伝した吉田清治という詐話師の捏造話が発端となって世界に広まった。また、朝鮮人戦時労働者は強制的に狩り出され、賃金も貰えない奴隷労働者だったという嘘は、ＮＨＫの報道が発端だったと言える。

朝日新聞は２０１４年に、吉田清治に関する記事の全てを、間違いだったとして取り消した。他方ＮＨＫは、彼らの報じた長崎県端島《はしま》、通称軍艦島を描いた「緑なき島」が今日まで続く徴用工問題の元凶となっているにも拘わらず、訂正を拒み続けている。

「緑なき島」は１９５５（昭和30）年に報じられた20分間のドキュメンタリーである。端島を含む明治産業革命遺産の研究における第一人者、加藤康子氏が66年前のドキュメンタリーの問題を指摘した。

「炭鉱の坑内の映像はやらせをしています。それに合わせてナレーションの原稿もドラマチックに書いたのでしょう」

「緑なき島」で描かれている端島炭鉱の坑内映像は誰が見ても奇妙だ。まず鉱夫たちが次々に坑道に入っていく。皆作業服をきっちり着込みランプ付きのヘルメットをかぶり、丈夫そうな靴も履いている。

ところが、実際に石炭を掘る次の場面では、全員がふんどし一丁の裸体になっている。ヘルメットのランプはなくなっている一方、腕時計だけはきっちりはめているのもチグハグだ。

「当時端島の炭鉱を経営していた三菱鉱業は保安規定で作業服、ランプ付きヘルメットなしで坑内に入ることを固く禁じています。裸で石炭を採るなど、あり得ないことでした。また、坑道は海中深く掘り下がっています。ランプがなければ真っ暗です。それに昭和30年当時、腕時計は高価で貴重でした。石炭採掘現場に時計も含めて私物を持ち込むというのはなかったことです」と、加藤氏が語る。

「緑なき島」ではまた、坑道は高さがなく、鉱夫たちは全員這いつくばって作業している。だが、これも端島ではあり得ないことだった。

## 「日本発の歴史捏造」

先述したように端島は海中深く、１１００メートルまで斜め竪形に掘り込んでいる。三菱の規定では坑道の高さは１・９メートル以上とされていた。ところが映像では、坑道の高さがないかわりに、空間が水平に広がり、そこで裸の男たちが這って働いている。実際の端島の坑道にはこのような平場の採掘現場はなかったにも拘わらずだ。

明らかにこれは端島炭鉱の映像ではない。「やらせ」だという加藤氏の指摘は間違いないだろう。事実、映像を見た元島民全員が、「これは端島じゃない」と証言している。

ＮＨＫがやらせで報じたこの映像は韓国に伝わり、朝鮮人鉱夫がこのような形で酷使されたという「事実認定」へとつながっていった。その一例が韓国の国立歴史館に展示されている写真であろう。それは高さのない坑道で上半身裸の男性がうつぶせになって石炭を掘っている写真だ。朝鮮人がこんな形で奴隷労働させられたという象徴的な一葉だ。そして写真の男性は朝鮮人ではなく日本人だ。戦後、廃鉱になった炭鉱で盗掘しているのを、日本人の写真家が撮影したものであることが確認されている。そのベタ焼きも残っている。

66年前のＮＨＫの報道は、厳しい安全管理のルールが徹底されていた現実の炭鉱では明らかにあり得なかった嘘のイメージを作り出した。事実に反する内容であるにも拘わらず、それがドキュメンタリー映像として独り歩きを始めた。韓国が触発され、前述の裸で盗掘する男性の写真に飛びついた。写真はユネスコの「明治日本の産業革命遺産」登録に反対する韓国側の運動の中で、ニューヨークのタイムズ・スクエアに反日のスローガンと共に掲げられた。さらに２０１８年10月には、韓国大法院が彼らの云う徴用工問題で日本企業に賠償を命ずるとんでもない判決につながった。

66年前ＮＨＫが報じた「緑なき島」のやらせ映像が、現在の問題に直結しているのである。「それだけではない」と指摘するのは麗澤大学客員教授の西岡力氏だ。

「１９７４年に三菱重工爆破事件が起きました。犯人たちは日本人でしたが、大学時代に朴慶植氏の書いた『朝鮮人強制連行の記録』を学んで、日本が朝鮮人を酷い目に遭わせた、その日本企業に報復のテロをしなければならないと考えた。三菱重工がターゲットにされましたが、理由は朝鮮人戦時労働者を使っていたということです」

爆破事件は74年８月30日に起きた。当初犯人たちは９月１日、関東大震災で「朝鮮人が虐殺された」とするその日に、復讐を企てていた。だがその日は日曜日でオフィス街の丸の内には人がいない。土曜日もいない。そこで金曜日の8月30日が犯行日になった。

「つまり犯人たちは日本企業が本当に朝鮮人に奴隷労働をさせたと信じ込んでしまった。そうした印象を強烈に与える映像をＮＨＫが作っていた。66年前から始まった日本発の嘘が語り継がれ、広がり、深刻化していった。慰安婦と同じ、日本発の歴史捏造なのです」(西岡氏)

## 〝悪者〟のイメージ

さて、加藤氏の働きがあり、20年3月に産業遺産情報センターが東京・新宿区に開設された。そこには端島の暮らしが、多くの元島民の証言と共に展示されている。ＶＴＲの映像と肉声で、端島では日本人も朝鮮人も平和で協調的に暮らしていたことを私たちは知ることができる。

それに反発したのか、ＮＨＫがまたもや動いた。66年前の「緑なき島」で描いた奴隷労働こそが島の実態だったと言うかのような「実感ドドド！　追憶の島～ゆれる〝歴史継承〟」という番組を、同年10月16日、九州、沖縄ローカルで放送したのだ。加藤氏も島民もＮＨＫの取材に応じたが、まともには取り上げてもらえず、反対に〝悪者〟のイメージに仕立て上げられた、と憤る。

元島民の皆さん方は同年11月20日にＮＨＫに抗議文と質問状を送った。論点は四つである。①炭坑内の映像の検証、②韓国を含む全世界への訂正、③複製等を残すことなく完全削除、④元島民の誇り、自尊心を踏みにじったことへのお詫び、である。

ＮＨＫの回答は「別の炭鉱で撮影された映像が使用されたという事実は確認されませんでした」という木で鼻を括ったようなものだった。

「あのドキュメンタリーを見た元島民全員が、あれは端島の炭鉱ではないと証言しているのです。

報道機関として、やらせを否定するのなら、その証拠を示すべきでしょう」

加藤氏の憤りはもっともだ。そんなＮＨＫになぜ、私たちは受信料支払いを強要されなければならないのか。公共放送だからというのが理由らしいが、国益を損ない、日本人の名誉を傷つけるこんな虚偽放送を続けるＮＨＫを許してはならないだろう。

（２０２１年3月11日号）

【追記】

２０２１年7月22日、国連教育科学文化機関（ユネスコ）の世界遺産委員会が、「明治日本の産業革命遺産」をめぐって「強い遺憾」を全会一致で決議した。これは世界遺産委員会が、日本側は奴隷労働などをさせられた「犠牲者の記憶」を、十分、展示していないなどとする韓国側の主張を信じ込んでしまった結果である。韓国側はナチスドイツによるユダヤ人の強制労働などと、日本の端島での事例を同一視して、「明治日本の産業革命遺産」の展示では、ドイツの事例をモデルとせよと要求していた。ドイツと日本の事例は全く異なる。にも拘わらず、韓国側は要求を取り下げず、日本の対応を不満として「明治日本の産業革命遺産」を世界遺産登録から抹消せよとも要求している。

韓国はこのような日本攻撃を国ぐるみで行っているのだが、日本側では、ＮＨＫを筆頭に、朝日新聞、毎日新聞、東京新聞、共同通信など主要メディアが韓国側と協調しているかのような報道をするのである。歴史認識に関わる戦いはまだまだ長く続く。日本の歴史や実績を歪曲させないための情報発信が必要なのは明らかだ。しっかりした組織を作り、そこに専門家を結集させて、どんな捏造にもきちんと反論できる情報発信機関が必要だ。ちなみにそのような組織は外務省の外に作ることが肝要である。

# 第6章　日本は大逆転できる

## 習近平の毛沢東路線は世界の不幸だ

習近平国家主席の下、中国はおよそ全ての分野で〝逆方向〟に走っている。中国自身も否定し、一旦は離れた毛沢東の路線に強硬な攻めの姿勢で立ち戻ろうとしている。それは現在の中国の強さの表現というより、彼らの抱える矛盾と弱さの反映ではないか。それが、2021年3月5日に開幕した全国人民代表大会（全人代）の前半を見ての感想である。

開幕当日、李克強国務院総理が政府活動報告を行った。国柄の違いが鮮明に表われていて興味深い。開口一番、李氏はこう言っている。「突如として発生した新型コロナウイルス……」。

たしかに突如として発生したのである。しかしそれは明らかに中国で発生し、中国政府の隠蔽があって世界に広がったのである。にも拘わらず、そのことについての反省や申し訳ないという表現は一言もない。つき合いたくない国である。

今回の全人代で世界が注目したのは、21年のGDP成長率の目標値だった。李首相が発表した6％以上という値を妥当だと評す声がある一方で、「ウォール・ストリート・ジャーナル」（WSJ）紙は社説で「6％」に込められた中国の深刻な内情に注目している。武漢ウイルス禍で経済が落ち込んだあとの回復値を示す値なので、8％や10％を掲げてもおかしくないはずが、6％という「低め」に設定したのはなぜか、と問うのだ。

中国の統計が信用できないことには定評があるが、中央政府が高めの目標値を設定すれば、地方政府はその数字に合わせてくる。無用な借り入れで無駄なプロジェクトを組み、実態経済とは無縁の投資などで統計上、ＧＤＰをふやすことなど、中国では日常茶飯だ。

これまで犯してきたこの種の間違いを繰り返させないために、習近平政権が低めの目標にしたのではと、ＷＳＪは推論したわけだ。それだけ中国の金融・財政事情は劣化しているということだ。この際、中国経済の脆弱性をきちんと見ておけということである。

## 強すぎる民間経済は危険

李演説で非常に興味深かったもうひとつの点は国有企業についての部分だ。李首相は、国有企業を優先して民業を圧迫する「国進民退」政策を変えようと努力してきたという。「国有企業改革３か年行動計画」を打ち出し、「国有経済の配置最適化と構造調整を加速させて、民営経済の発展」を促したとして、こう語っている。

「いささかも揺るぐことなく公有制経済を定着・発展させ、いささかも揺るぐことなく非公有制経済の発展を奨励・支援・リードしていく」

両方を分け隔てなく平等に扱うと断言したのに、その直後に、「国有資本・国有企業をより強く、よりよく、より大きくする」とも言っている。

中国共産党政権は性格が正反対の経済主体のどちらを優先しているのだろうか。答えは現実を見ればすぐにわかる。20年11月３日、史上最大規模になるはずだったアリババグループ傘下の金融会社、アント・グループの新規株式公開が突然習主席の指示で延期された。その他の多くの企業動向も合わせて見れば、中国は明らかに国有企業優先政策に向かっている。国有企業は民営化するのでなく、逆に、かつ急速に、民営企業を傘下におさめつつある。昨年1年間で国有企業に経営権を譲渡した、もしくはさせられた上場企業は48社に上るとの報道もある。結果として興味深い負の変化が生まれている。

国進民退政策の下で国有企業は土地、資本を含むあらゆる資源を優先的に配分されているにも拘わらず、民営企業の実績にはかなわないのが事実だ。19年の段階で、民営企業は中国全体の税収の50%、GDPの60%、都市雇用の70%を生み出していた。それが20年末の段階で、民営企業は圧迫されているにも拘わらず、税収では60%にふやした。GDPも60%を維持し、雇用に至っては80%まで民営企業が生み出した。

こうした流れがあっても、習主席は民業を圧迫する。中国共産党の一党独裁を保ち続けるために、また自身の独裁専制政治を維持するために、強すぎる民間経済は危険すぎるからだ。

習主席は全人代初日に、内モンゴル自治区の代表らによる会議にわざわざ出席して、同自治区での中国語(漢語)の普及推進を命じている。モンゴル人にモンゴル語を使わせてはならない、モンゴル人からモンゴル人らしさを奪って漢民族に同化させよというのだ。

中国政府は歴代、チベット人やウイグル人など、異民族の漢民族への同化策を進めてきた。しかし、習氏は、その中でもとりわけ強硬である。内モンゴル出身の楊海英・静岡大学教授は、習氏の意図を理解するためには彼が信奉している毛沢東の考えに立ち戻ればよいと指摘する。

毛沢東に関する膨大な量の出版物の中で、毛の言葉として定着しているのが赤い表紙の『毛沢東語録』(以下「語録」)であろう。全世界で50億冊も印刷されたそうだ。

## 文革は現在も続いている

習主席がなぜウイグル人を100万人規模で強制収容し、自由を奪い、宗教を奪い、思想教育をするのか。なぜモンゴル人から母語を奪い、彼らの生活習慣を奪うのか。チベット人になぜチベット仏教を禁ずるのか。「語録」にそのことを理解するのに役立つ毛沢東の言葉がある。少し長いが引用する。

「人民民主主義独裁には二つの方法がある。敵にたいしては独裁的方法をとる。必要な期間、政治活動に参加させず、人民政府の法律にしたがうことを強制し、労働に従事することを強制し、労働をつうじて新しい人間に改造する。人民にたいしては、これと反対であって、民主的方法をとる。かならず政治活動に参加させ、教育と説得によってはたらきかける」

習氏が指示したのは、毛沢東が敵に対してとるようにと指示した独裁的方法を実行せよということだ。漢民族にとってウイグル人もモンゴル人もチベット人も「敵」なのである。漢民族以外の人々に民主的に接することなどないのであろう。文革の最中に熱烈に読まれていた「語録」の教えがいまも実践されている。この意味において、文革は現在も続いていると考えるのが正しい。

日本について毛沢東は何と言っていたか。日本は「語録」に複数回登場する。私たちが記憶しておくべきことは抗日軍事政治大学のことだ。日本を打ち破るための教育を徹底的に施したこの大学は文革当時、中国の教育革命の模範とされたと、「語録」を訳した竹内実氏が解説している。

如何にして日本を打ちのめすかという教えが、中国全土の毛沢東革命の土台となり、現在の習近平体制に引き継がれている。「語録」の中の思想は徹頭徹尾、戦争肯定論だ。すべての問題は戦争によって解決されると毛沢東は繰り返している。習氏は第二の毛沢東になろうとしている。このような人物が世界の諸民族の中にそびえ立つことは、あり得ない。中国共産党が漢族と異なる多くの民族、幾千万の人々を幸せにすることはないだろう。私たちが、古来から続いている穏やかな文明と、他者を寛く受け入れてきた日本の国柄をこれまで以上に意識して、勁い日本国をつくればアジア及び世界に、より良く貢献できるのである。

（２０２１年３月18日号）

## ケネディ教授、「米国は衰退しない」

２０２１年3月9日、シンクタンク「国家基本問題研究所」が主催した国際セミナー「米国は衰退するのか」で、国基研副理事長で、ニクソン研究で名高い田久保忠衛氏と共にポール・ケネディ教授と鼎談した。

米国東部、コネティカット州にあるイェール大学近くの自宅からリモートで参加したケネディ教授は、早々と準備して音声チェックなどに当たっていた。私たちも同様で、双方共に予定より随分前に用意が整った。

自己紹介をして、「宜しければ、始めましょうか」と尋ねた。すると、とても明るい表情で「そうしよう！」とケネディ教授が答えた。

ポール・ケネディという名を聞けば、『大国の興亡』の上下2巻がすぐに連想される。１５００年から２０００年までの大国の興亡を描いた大著は世界的ベストセラーになった。私の手元にあるのは鈴木主税氏の訳になる１９８８年版（草思社）だ。当時の私は「文藝春秋」や「諸君！」に寄稿したりしていたが、物書きとしてはまだまだで、ケネディ教授は光り輝く存在だった。その人物が準備完了、早速始めましょうと気さくに応じた。

アメリカは衰退しているのか。今後も衰退し続けるのか。その衰退は相対的か、絶対的か。この問いほど、日本にとって切実なものはない。何といってもわが国の安全保障は米国抜きには今や語れない。中国共産党の世界支配を止めることが出来るのかという問いは、日本だけでなく全世界の命運を左右する重大事である。

ケネディ教授はまず、５００年遡って考えてみることを提唱する。

「５００年前、中国は世界最大の国でした。欧州はまだ勢力が小さく、米国は存在していません。19世紀を過ぎると、世界の大きな勢力は全世界を支配する立場に立つようになりました。その新たな構図の中で日本も米国も力をつけたのです」

20世紀に入ると第一次世界大戦で欧州が弱体化し、米国と日本が力をつけた。第二次世界大戦で米国が文字どおり大国となり、日本は敗北して、幾百万の国民を失い、世界最貧国水準へと真っ逆さまに落下した。

## 「中国は失望する」

戦後、日本は再度、世界勢力として台頭し、米国はソ連を崩壊に導き唯一の超大国となった。いま、その力の実態と行く末を、全世界が見定めようとしている。

そうした中、中国は盛んにアメリカ衰退説を喧伝する。親中派の政治家として知られる豪州の元首相、ケビン・ラッド氏は、２０１３年に国家主席となったときから習近平氏の対米政策は一貫しており、その基本的哲学は、歴史の流れは中国に味方しているというものだと指摘する（「フォーリン・アフェアーズ」誌、21年３〜４月号）。

中国は建国１００年の２０４９年には米国を凌駕し、世界にそびえ立つと宣言しているが、世界最強国になる道程をさまざまな面で前倒ししているとも、ラッド氏は指摘する。たとえば軍の近代化はあと6年で、つまり27年までに完了することになったが、これは計画を8年も前倒しした結果だという。大幅前倒しの理由は台湾奪取に向けて全ての面で米国に対して優位に立つためだ。米国支配を打ち砕く具体的目標を掲げ、ひとつひとつ着々と実行する中国に対して、アメリカの反転攻勢が予想以上に制限的であることに中国の方が驚いていると、ラッド氏は書いている。

このように中国が盛んに喧伝する米国衰退説についてどう考えるかとケネディ教授に問いかけた。教授は、中国メディアは米国の衰退について書くことに尋常ならざる関心を抱いているが、それは彼らが戦争をすることなく米国の衰退を目撃したいからだ、と答えた。

中国が盛んに米国は衰退しているとの説を拡散するのは、彼らの得意とする「三戦」(世論戦、心理戦、法律戦)の一端なのだ。米国の力が弱まっていると印象づけることで米国への信頼を弱め、多くの国々を中国の方に引きつける、或いは米国との同盟に楔を打ち込むこともできるかもしれない。米国よりも中国の方が頼り甲斐があると思わせる戦法のひとつなのだ。

右の指摘をした上で、ケネディ教授が断言した。

「米国の衰退は相対的なもので、絶対的なものではありません。米国は台頭する他の国々と立場を共有することが必要になるかもしれませんが、それでも強い国であり続けるでしょう。その意味では、中国は失望するでしょう」

米国は中国に負けない、その力の源泉は強い経済にあるとケネディ教授は語る。顕著な経済成長を実現し米国民に繁栄をもたらすことが、米国政府への信頼、民主主義への尊重と敬意の回復につながり、国全体の安定に寄与する、米国にはそれができる、と強調するのだ。

但し、これからの米国は同盟諸国と協力して中国に対峙しなければならなくなると、ケネディ教授は予測する。その枠組みとして日米豪印4か国の協力体制を考えた安倍晋三前首相を高く評価した。

「歴史を振りかえると、似たような事例があります。第一次世界大戦前、ドイツは多くの船を建造して大海軍を持つに至りました。仏英露などが警戒し、やがて第一次世界大戦につながっていったのです。結果は歴史が示しています。

もうひとつの似たような例は冷戦時代のソ連です。彼らも海軍を増強し、地中海まで進出しました。対して米英仏伊などが密接な軍事協力を行い、ソ連の攻撃的活動阻止に動きました」

日米豪印のクアッドも、それへの英国の参加意思の表示も、さらには仏独のクアッドへの前向きな反応も、全て中国の侵略的攻勢が原因だ。ケネディ教授の示した歴史の事例を敷衍すれば、敗れるのは無謀な軋轢を仕掛けた側である。つまり、現在進行形の危機でいえば、敗者は中国、ということになる。

折しも本稿執筆中の15日、米国から国務、国防両長官が日米安全保障協議委員会（2＋2）のために来日した。米政府が14日に発表した文書、「堅固な日米同盟の再確認」には、「米国の日本防衛への関与は絶対的」「尖閣には日米安保条約第5条を適用」「中国の挑戦に日米が協力して対応する」などと明記されている。

バイデン政権は、対中宥和派で第二のオバマ政権だとの懸念があった。私も随分と注意深くバイデン氏の言葉を分析してきた。しかし、右の文書の内容や「2＋2」の実現、さらに菅義偉首相のワシントン一番乗りなどはそうした疑いを否定するものだ。

ケネディ教授は日本の行く道として、中国との経済関係が悪化しても代替国はあるが、米国との安全保障関係が悪化すればそれに取って替わる国はないと述べた。

そのとおりであろう。歴史の大きな流れの中で、いま日本は米国と共に自由主義陣営の中核国として力を尽すこと、日本がまともな国家として生き残るために、憲法改正を含めた大改革を実現しなければならないことを痛感した鼎談だった。

（2021年3月25日号）

## 米中苛烈、中国の時間稼ぎを許すな

2021年3月18、19の両日、アラスカで行われた米中会談は中国の本音を巧まずして暴露した。中国はもう少し時間稼ぎをしたいのである。

激しい応酬や威嚇的な言葉を削ぎ落として、時系列で事実関係を辿れば、バイデン政権の対中外交における周到さが見てとれる。

中国の全国人民代表大会（3月5日～11日）を受けて、バイデン米大統領は12日に、日米豪印の4か国首脳会議を行った。8日から18日まで2年振りに米韓合同演習を実施した。ブリンケン国務長官とオースティン国防長官は日米の外務、防衛両大臣の会合、「2＋2」のために15日に来日し、東京で2泊3日を過ごした。17日午後には韓国に赴き、米韓の「2＋2」をしてみせた。

東京では、米国は核も含めて全力で尖閣と日本を防衛するという「絶対的」な誓約を表明した。香港、ウイグル、チベットの弾圧、国際法無視、などで中国を名指しで非難して、二人の閣僚は韓国に向かった。

ソウルでの「2＋2」では中国に全く言及しなかった、米国の対中姿勢は韓国に行った途端揺らいだ、というような解説が日本メディアでなされていたが、米韓両国の対話内容を詳細に見ると実相は異なる。中国問題に全く触れなかったのは韓国政府だけである。文在寅政権は中国を怖れて容易に中国批判ができないのである。加えて文氏は米国よりも中国と共に未来を歩きたいと考えている人物である。他方米国側はブリンケン、オースティン両長官共に中国を名指しで批判した。17日夕方の米韓外相会談に先立つ会見でブリンケン氏は次のように述べている。

「中国は弾圧と侵略の手法によって組織的に香港の自治を侵食し、台湾の民主主義を切り崩し、ウイグル人とチベット人の人権を蹂躙し、南シナ海で国際法に違反して海洋権益を主張している」

ブリンケン氏のこの発言はバイデン大統領が2月4日に行った初の外交演説と重なる。大統領演説の要点は以下の通りだった。

「中国は最も深刻な競争相手だ。攻撃的で威圧的な行動、人権弾圧、知財の窃盗、グローバル・ガバナンス（世界統治）に対する中国の姿勢に米国は強い立場から反撃する」

## 地球全体を支配

バイデン大統領は気候変動などの問題では協力する用意はあるとしながらも、中国にはあくまでも「強い立場」から交渉すると宣言し、ブリンケン長官らは日韓両国でその意志を鮮明に示したことになる。対照的に中国側は次のようなメッセージを発した。

「中国が米国とのハイレベル戦略対話に同意したのは両国元首の電話会談での精神を実行に移す重要な措置で、米国と中国が互いに歩み寄り、中米関係の健全で安定した発展を図ることを希望する」「アラスカは米国の最北の州だ。中国代表団はアラスカに到着した時、寒冷の気候だけでなく、米国のホストとしてのもてなしも感じた」（3月19日、趙立堅中国外務省報道官）

日韓両国での米国側の発言を気にしながらも最後まで、即ち、米国と直接話し合うときまで、中国が米国との交渉続行を望み、しかもそれを戦略対話として定期化したいと切望していたのは明らかだ。アラスカでの激しい応酬の中でさえも、楊潔篪共産党政治局員は「対立ではなく、意思疎通を強め、相違をうまく処理し、協力を拡大する必要がある」と明言した。中国が渇望しているのは米中関係の「安定と継続」である。

中国は建国100年の2049年までに「中国の夢」を実現して、世界の諸民族の中にそびえ立つと宣言済みだ。夢の実現は力によってなされるが、力は軍事力だけではない。より決定的な要素が経済力であり、経済を随意に活用できる一党独裁政権の政治力である。

経済力を政治目的に沿って活用し、地球全体を支配する仕組みの構築が中国の戦略だ。具体例のひとつが5G通信網である。すでに米国の裏庭のラテンアメリカ、欧州が気にする東欧、54に上るアフリカ諸国、米国の関与が手薄でロシアの影響力も弱まっている中央アジア、さらに中東も含めて世界各地域で中国は猛然と通信インフラの建設を主導している。

大陸をまたぐインターネット情報の95％以上が光ファイバー海底ケーブルで伝達されるため、海底ケーブル回線の建設と維持、管理は世界支配の決定力となる。先頃まで世界の海底ケーブルの4割は米国が持ち、日本が3割、フランスが2割だった。だが中国が急速に追いつき始めた。世界の海底ケーブル地図の作成で知られるワシントンのテレジオグラフィー社によると、現在世界には406本の海底ケーブルがあり、米日仏の一角に中国の「華為海洋」などが食い込んだ。2020年末段階では彼らは世界シェアの20％を建設したとみられる。

深い海の底を這うケーブルと、宇宙から送信される情報が合体するときに地球を包み込む通信網は完璧になる。宇宙での情報基地は宇宙ステーションであり、月や火星に建設する軍事基地だ。月探査では近年中国が米国に一歩先んじ、火星には米国がひと足早く探査機を送り込んだ。

## 人口面ですでに下り坂

米中の青白い炎のようなせめぎ合いは、日本にとって他人事ではない。仮に中国が自前の5G技術で地球を包み込む通信インフラを建設してしまえば、彼らはあらゆる分野で優位に立ち、影響力を拡大する。中国の経済と技術なしにはどの国も生きにくい世界が出来たとき、中国共産党は遠慮会釈なく、全ての国と民族に中国共産党の価値観を押しつけるだろう。そのような基盤完成までには、あと少しの時間が必要だと、習近平国家主席らは考えているのである。

「あと少しの時間」は、別の意味でも非常に重要な要素を含んでいる。中国は経済成長持続の基本である人口面ですでに下り坂に入った。中国の生産年齢人口（15～64歳）は2010年から、総人口は18年から減少に転じた。米国の国家情報会議（NIC）は20年12月、人口面でインドが「群を抜いて」増加傾向に、中国が「群を抜いて」減少傾向にあると発表した。長期予想ではインド経済は21世紀を通じて成長し、今世紀末、インドは中国に取って代わるとも予測した。

東風が西風をしのいでいると、中国は言う。歴史は米国ではなく中国に追い風を送っていると。しかし、習主席にとって米国と戦える、相対的余力のある時間は長くはない。米国と直接戦うのではなく、まず弱小の貧しい国々を、次に中級国家を搦め捕り、中国中心の供給網と通信網を構築しさえすれば米国も抗い得ない。そのような世界のインフラを完成させたいというのが習氏の思惑であろう。充分に準備が整ったときには、台湾を奪い、尖閣を奪い、毛沢東に並ぶ中国の国父の地位も手に入ると考えている。

逆に言えば、あと10年、私たちが習氏の暴走を抑止できれば中国共産党との戦いに勝てる。今が正念場だ。日本は、中国に対峙するために、全力を振り絞って軍事力も経済力も強化しなければならない。

（2021年4月1日号）

**【追記】**

にも拘わらず、わが国の政治家たちの対中観には危惧を抱く。言いたくないけれど、つい、言ってしまう。いま発想を変えてみることが大事だ。そこから守勢を攻勢に転ずることができる。そこから大逆転できるのである。

## 危機感欠如の楽天・テンセント提携

世の中が急変し、古い仕組みが新しい仕組みに取って代わられようとするとき、大事なことは新局面で生き残るために何が必要かを考え、確実に実行することだ。すべきことは、①正しい現状分析、②解決法の突きとめ、③その実行、に尽きる。

わが国日本は右の三つのことを成し遂げ得るか。それが2021年3月26日の「言論テレビ」の主題だった。番組で具体的に取り上げたのは、2050年までに温室効果ガスの排出を差し引きゼロにするという菅義偉首相のカーボンニュートラル政策と、三木谷浩史氏の楽天に日本郵政と中国のIT大手、テンセントが投資するという件だった。

論者は、戦略論の大家でシンクタンク「国家基本問題研究所」副理事長の田久保忠衛氏と、明星大学教授で国基研の研究員、細川昌彦氏である。カーボンニュートラルの件では、小泉進次郎環境大臣が主導して50年までの実質排出量ゼロが閣議決定された。小泉氏らの政策がこのまま続行されれば日本の産業競争力は大いに殺がれ、トヨタは事実上潰されかねない。カーボンニュートラルで日本が考えるべきことの詳細については是非、番組をネットでご覧下されば と思う。

本項では楽天案件に集中するが、同件については細川氏が誰よりも先に問題提起し、国基研が内外に発信してきた。概要は以下のとおりだ。

楽天は3月12日、日本郵政、テンセント、米国のウォルマートなどを引受先として第三者割当増資で2423億円の調達を発表した。しかし通信、情報分野での中国に対する国際社会の懸念の高まりを考えれば、楽天の動きは極めて奇妙だ。

トランプ前大統領はファーウェイ問題に始まり、中国の通信事業体に強い警戒心を抱き、中国人民解放軍（PLA）と関係のある中国企業への投資を禁ずる大統領令に20年11月に署名した。米国防総省はアリババ集団及びテンセントが人民解放軍を支援しているとして米国民の投資を禁止するブラックリストに右の2社を追加すべく動いた。財務省が介入して2社は投資禁止対象にはならなかったが、バイデン政権下でも強い懸念は払拭されていない。

## 「個人データ」を楽天が把握

米国が投資禁止を検討したものの禁止決定に至らなかった背景に、テンセントとアリババの規模の大きさがあるだろう。両社の主要市場での時価総額合計は1兆ドル（約110兆円）以上と見られる。20年末の段階で、テンセントの純利益は日本円で2兆6000億円に上っていた。

この巨大IT企業が楽天に出資する。当初の出資額は子会社からの660億円、2兆6000億円の純利益を出すテンセントにとっては吹けば飛ぶような少額で、払い込みは3月31日だ。一方日本郵政は3月29日に1500億円を払い込んだ。日本郵政は資本の56・87％を政府と自治体が出資する事実上の国有企業である。傘下に日本郵便、ゆうちょ銀行、かんぽ生命の三事業会社を抱える。

この巨大企業である日本郵政と楽天は20年12月24日、物流分野での包括的な業務提携で基本合意していた。両社の業務提携内容には金融も含まれている。つまり、日本郵便の豊富な物流データ、ゆうちょ銀行とかんぽ生命の豊富な金融データという日本郵政保有の「個人データの宝の山」に楽天は接近できるようになったということだ。

事実上の国有企業、日本郵政が楽天という一企業に資本投下し、それが保有する国民情報を楽天に把握されてしまいかねない。このこと自体、大問題だが、加えてそこにテンセントが連なるのである。

テンセントの人気アプリ「ウィーチャット」は10億の中国人が使っており、ウィーチャット経由で10億人の会話、行動、購買履歴の全てが把握、監視されているのは周知のことだ。中国共産党はさまざまな手段で国民監視を強めているが、彼らにとってみればテンセントもアリババも国民監視に欠かせない強力な手段、ツールである。だからこそ中国共産党は両社への統制強化に乗り出している。

日本郵政が保有する日本国民についての膨大な情報がテンセント側に流れるようなことがあれば、それはそっくりそのまま中国共産党に握られてしまう。こんなことを許してよいのか。日本政府はテンセントによる楽天への資本注入を止めるべきだ。

細川氏がこうした問題点を指摘した結果か、三木谷氏は日本政府や米大使館を訪れてテンセントの出資に問題はないことを説明する羽目になった。説明のポイントはテンセントはただ資本注入するだけというものだった。細川氏が語った。

「3月12日の会見で三木谷氏はテンセントとの事業提携について、Eコマースなどを例にあげて、4月以降に協議すると語っています。にも拘わらず、テンセントの資本参加を問題視されると、出資だけだと言うのは極めて不自然です。二枚舌と言われても仕方ないでしょう」

## 国家として為す術がない

再度強調したいのは、政府はテンセントと楽天の提携を阻止すべきだったということだ。しかし政府中枢筋のある人物は、政府に出来ることは限られており、現行外為法ではテンセントが資金を払い込んできたら阻止できないと、力なく語った。唯一できるのはたとえば楽天保有の個人情報にはアクセスしない、などの条件をつけることだという。しかし、中国側がこの種の約束を守ることは100%ない、すべてカラ約束に終わると断言してよいだろう。

ならばどうするのか、日本国と国民の情報は取られるままになるのか。日本の国益を強く意識しているこの人物に私は尋ねた。答えは想定外だった。「米国にやってもらうしかない」と言うのである。

これこそが問題であろう。わが国には、国家戦略に基づいて事を成そうというとき、実行に必要な法的基盤がない。政府には権限という権限のおよそ全てがない。方針を立てても、実行できないことばかりなのが、日本国の実態である。

武漢ウイルスを抑制するための緊急事態宣言でも、政府にはほとんど命令権限はなかった。およそ全ての分野に同じ構造的問題が存在する。日本はその意味で国家ではないのだ。少なくともまともな国家ではない。

楽天は米国のファーウェイ締め出し作戦に、日本のクリーンな企業のひとつとして参加している。中国とつながっていないという意味でクリーンと見做されているが、今回の件で米国での事業に負の影響が出ることも考えられる。それは楽天自身の問題だが、米中対立の中で、究極的に日本は米国と協力するしかない。戦略的パートナーは米国であり、中国ではあり得ない。テンセントに日本の情報が抜かれるような提携は避けるのが国益である。そんなとき、楽天・テンセント問題に国家として為す術がないという事実こそ深刻な危機だ。

（２０２１年4月8日号）

**【追記】**

幾度も言ってきたことだが、日本という国には普通の国家が持っている命令権がおよそないのである。普通の国が当然の権限として持っている国家の資格要件がないのだ。こんな国は国ではないと、私は思う。

私たちはこのような状況から脱しようではないか。発想を変えるのである。国家に権限を持たせたとしても、日本国が暴走することはない。まず自らを信じ、国には国にふさわしい権限を持たせて、まともな国家として機能させてみよう。そこからすべてが始まるだろう。

# 日米首脳会談、独立国の気概持てるか

２０２１年4月16日、日米首脳会談が行われる。バイデン大統領の最初の対面形式での会談相手が菅義偉首相であることについて菅首相は同月4日、フジテレビの番組で「バイデン政権そのものが日本を重視している証だ」と語った。

日本への期待の大きさが見てとれるが、そのひとつがバイデン政権の重点政策、２０５０年までの温暖化ガス排出差し引きゼロ政策（カーボンニュートラル）への協力だろう。

世界の産業構造を一気に変える力を持つカーボンニュートラル構想を牽引するのが、気候変動担当大統領特使のジョン・ケリー氏だ。

3月8日から10日までケリー氏は英、ベルギー、仏の3か国を歴訪した。米欧が打ち出した方針は、企業が製品製造過程で社会的責任を果たしているかを情報公開させるというものだ。社会的責任を完《まっと》うしているかどうかの判断基準はズバリ、人権を守っているか、脱炭素に真に貢献しているか、である。

人権問題では米欧はすでに共鳴し合い、これを対中政策の軸に据えた。企業活動の全分野で人権を守っているかが重要になる。たとえば、新疆ウイグル自治区の強制労働で作られたものがサプライチェーンの中で使われていないかなどをグローバル企業は検証し、情報公開しなければならないことになる。

もうひとつの基準は全体像で見る脱炭素だ。電気自動車でも燃料電池でも最先端を走る中国に、米国も欧州も危機感を抱いており、中国牽制の方法としてライフサイクル・アセスメントの考え方を打ち出した。たとえば、中国の電池が優れているといっても、二酸化炭素を大量に排出する石炭火力由来の電力で造られたのではないかなどをチェックし、そうであれば市場から排除する戦略だ。これは中国にとって、場合によっては日本にとっても、大変な圧力になりかねない。

明星大学教授の細川昌彦氏が3月26日、「言論テレビ」で語った。

「現在進行中の事態を単に環境問題ととらえるのは間違いです。環境問題という見せ方は表面だけで、中身は産業の競争力、もっといえば大戦争をやっているのです。経済安全保障の戦いです」

## 「人権が最強の武器」

バイデン政権が掲げるカーボンニュートラル構想に日本は大急ぎで追随し、50年までの達成を法制化するところまでいってしまった。だが、本来日本が成すべきことは、先述のようなルール作りの一翼を担うことだ。それが小泉進次郎環境大臣の役割だが、氏にその自覚はあるだろうか。

ケリー氏は3月9日、ブリュッセルで自信たっぷりに語っている。

「世界最強の米欧二つの市場が同じ方向へ動けば影響力は大きく深い」「今起きていることはキャピトルヒル（連邦議会）での（バイデン政権が辛うじて保つ共和党に対する）小さなリードよりはるかに大きなことだ」

民主党の政権基盤が万全でなくとも、経済界は炭素削減に積極的で、新技術の開発も進んでいる。共和党が反対しても、物事は動き始めているのだと自信を強めている。また、米欧最強チームが指し示す基準に中国も従わせたいとの思惑から、国際社会の合意を取りつけつつある。

そのためにバイデン政権は中国に対して厳しい人材を揃えた。通商代表部（USTR）代表キャサリン・タイ氏は、中国のウイグル人弾圧に非常に厳しい意見を持つことで知られる。USTRは3月1日に出した通商政策報告書で中国の人権侵害が最優先事項であること、ライフサイクル・アセスメントに基づいて、「炭素国境調整措置」の採用を検討することを明記した。

言論テレビで戦略論の大家、田久保忠衛氏が指摘した。

「人権が最強の武器となっているのです。米中対立の構図で、中国の最も弱い点が人権であり、軍事的対立よりも人権を巡る価値観で米国が優位に立っています」

バイデン氏はもとより、ブリンケン国務長官、ケリー氏、タイ氏などの閣僚全員が人権派であり、ケリー氏が他のどの国よりも先に欧州諸国を訪れたのは、明らかに人権問題を価値観の問題として戦略的に活用していくための合意形成が目的だっただろう。

日本の立ち位置はどうか。バイデン政権が中国政府のウイグル人弾圧をジェノサイド（民族大虐殺）に認定する一方、先進7か国の中で中国共産党に制裁措置をとっていないのは唯一わが国のみとなった。この点を問われて、加藤勝信官房長官は「わが国には人権問題のみを直接、あるいは明示的な理由として制裁を実施する規定はありません」と答えた。こんな言い訳を加藤氏は本気で言っているのか。菅政権を守り擁護するのが官房長官の仕事だが、これでは菅政権の命運を、国内的にも国際的にも守れないだろう。

わが国は北朝鮮による拉致は許されざる人権侵害でありテロであるとして、国際社会に訴えて協力を要請してきた。菅義偉首相は政権の最優先課題に拉致問題解決を掲げている。にも拘わらず、隣国で横行する苛酷な人権弾圧は、規定がないので見過ごす、などと菅首相は、間もなく行われるホワイトハウスでの首脳会議で言えるだろうか。

## 日本の覚悟が問われる

もう一点、菅首相に期待されているのは台湾及び尖閣有事に関しての日本の覚悟だ。米太平洋艦隊司令官、ジョン・アキリーノ氏は「台湾有事は大方の予想よりも間近に迫っている」と語っている。

4月4日、フジテレビの番組で橋下徹氏が菅首相に尋ねた。

「台湾有事が現実に起きたら、安倍前総理が火だるまになって作ってくれた平和安全法制の中の『存立危機事態』に相当すると判断して、米国と集団的自衛権を行使する、これはあり得るんですか」

台湾有事が「日本の存立が脅かされる」存立危機事態に該当するとなれば、自衛隊は反撃できる。しかし「日本の平和と安全に重要な影響を与える」重要影響事態だと判断されれば、自衛隊は自らは戦わず、米軍などへの後方支援にとどまる。

橋下氏のこの重要な問いに菅首相は、「仮定のことに私の立場で答えることは控えたい」とのみ回答した。

橋下氏が「存立危機事態に当たらないとも明言できないということなんですね」と食い下がる

と、首相は橋下氏を少々険しい目で見て答えた。「今申し上げたとおりです」

首相はかねてより、尖閣については日米安保条約第5条の適用はあるが、日本国の領土を日本国が守るのは当然で、守る主体は日本だと語っている。ならば台湾有事でも自衛隊が戦うことは当然だという帰結になるのではないか。なぜなら、台湾有事では、日本の領土も中国の攻撃目標になるからだ。台湾を含めたアジア防衛の米軍の拠点は嘉手納など沖縄の基地だ。中国は真っ先にそこを狙ってくる。従って台湾有事において後方支援だけで済ませることはあり得ず、それはわが国の国益にも適うまい。

他国に先駆けて行われる対面での日米首脳会談は、気候変動、人権、台湾・尖閣の問題等で国家としての日本の覚悟が問われる歴史的な場面となる。菅総理は政治生命をかけて独立国家としての気概を見せよ。


（2021年4月15日号）


【追記】

日本のやる気が試されている。日本がまともな国になって日本の国益を守る気概を見せることから、すべてが前向きに転換していくはずだ。

## 脱炭素の鍵は原発の活用だ

菅義偉首相の訪米が迫る2021年4月12日、米国の気候変動問題担当大統領特使、ジョン・ケリー氏が訪中するとの見通しが報じられた。実は同月2日、菅首相とバイデン大統領との首脳会談が突如1週間延期されたとき、日米首脳会談前にケリー氏が訪中して気候変動問題への米中の取り組みを摺り合わせておくためではないかとの憶測が流れた。最終確定ではないが「今週中にもケリー氏訪中」とのニュースは、その見立てが恐らく外れていなかったことを示唆する。

ケリー氏の中国側の交渉相手、解振華《かいしんか》気候変動担当特使は2007年から18年まで中国の気候変動問題担当チームの代表だった。すでに第一線から退いていたのを、氏にまさる適任者はいないという理由で呼び戻された。ケリー氏も解氏も気候変動問題に関しては経験豊富で百戦錬磨の達人だ。ケリー氏は解氏と頻繁に連絡し合っている。温暖化ガス排出差し引きゼロ、いわゆるカーボンニュートラル政策で米中両国の戦略が調整されつつあると見てよいだろう。気候変動は産業競争力を巡る壮大な駆け引きで、経済安全保障の戦いである。国家の命運をかけたこの戦いを日本では小泉進次郎環境大臣が担う。大丈夫か、問題についての理解力と国益を守る気概が氏に備わっているのかと、誰しもが危惧するのは自然なことだろう。

小泉氏は温暖化ガス排出の大幅削減と再生エネルギー重視に大きく傾いている。米国に追随して50年のカーボンニュートラルの実現に向け、さらに一歩踏み込んで法制化したのは周知のとおりだ。なぜ早まって法制化してしまうのか、小泉氏の戦略は理解できない。日本の固い決意表明を国際社会が評価したとしても、そこには何の意味もない。各国は互いの動きを見ながらあらゆる戦略戦術を駆使してくる。目標値を決めてその実現を法律で縛れば、その分、戦略戦術上の調整幅も狭められる。わが国は自らを追い込んでいるだけだ。30年までの10年間、その先50年までの20年間は、決して真っ直ぐ一直線で進めるような道筋ではないだろう。$CO_2$削減を進めつつも国内産業と国益を守りながらの駆け引きが必要なのは言うまでもない。その点を小泉氏は理解していない。

## 日本の姿を醜く変える

小泉氏の父、純一郎元首相は、日本は全電源を再生エネルギーで供給できると語っている（18年5月13日、東京新聞）。進次郎氏は、30年までに国の電源構成で再生エネルギーの比率を現在の目標値から倍増させたいと語る。現在の目標値は22％から24％であるから、倍増すれば44％から48％になる。進次郎氏は、原子力への依存度は可能な限り低減させるとも語っている。この政策を現実の中に置いて評価してみよう。

シンクタンク「国家基本問題研究所」のエネルギー問題研究会（座長、奈良林直北海道大学名誉教授）は4月12日、政策提言を発表した。その中で指摘したことのひとつは、わが国は太陽光発電においてすでに世界のトップに立っているという点だ。

現在、世界最大の太陽光発電システム導入量を誇るのは中国で２０５（ＧＷ《ギガワット》）だ。以下米国の62・3GW、日本の61・8GW、ドイツの49GWと続く。日本と米国はほぼ拮抗している。

これを国土面積で割って1平方キロ当たりの太陽光発電システム導入量に計算し直すと、日本は0・164キロワット、中国は0・021、米国は0・007となる。1平方キロ当たりでは、日本は中国の8倍、米国の23倍にも達している。狭い国土、その上、平地が少ない中、日本は国土面積当たりの太陽光発電で最先端を走っている。日本は再生エネルギーで遅れていると語る人がいるが、それは間違いだ。すでに十分やっている。

純一郎氏の「全電源を再生エネルギーで供給」という目標を達成するにはどんな施策が必要か。国基研で調査した。わが国の熱消費エネルギー量のすべてを太陽光と風力で賄うと仮定すると、太陽光については、本州の全面積の3分の1に太陽光パネルを敷き詰めなければならない。風力の場合、わが国の排他的経済水域の殆ど全域で風車を設置しなければならない。

まさに日本国土から緑の山々、森、平野がなくなり太陽光パネルで覆われる。世界第6位の広さを誇るわが国の海の隅々にまで風車が立つ。自然は破壊され、景観は損なわれ環境は大きく変えられる。私たちの故郷は全国津々浦々、様変わりするだろう。それだけではない。そのコストたるや凄まじいスケールになる。日本の姿をこんなに醜く変える構想が国民に支持されるだろうか。天文学的なコストを支払う政策を国民は支持するだろうか。再生エネルギーで電源の100%を賄うという考え自体が幻想だ。

もう一点、興味深い事実がある。前述した太陽光発電の4大国、中米日独はいずれも$CO_2$排出係数が非常に大きいのだ。$CO_2$排出係数とは1キロワット／hの電気を得るのにどれだけの$CO_2$を排出したかを示す数値のことだ。

世界最大の太陽光発電国、中国は１キロワット／hの電気を生み出すのに７２０グラムの$CO_2$を排出している。以下、米国は４４０グラム、日本は５４０グラム、ドイツは４７２グラムだ。いずれも非常に高く、ロシア並みの数値である。

発電時の$CO_2$排出量が少ないのは、ノルウェーがトップで13グラム、スイス42グラム、スウェーデン46グラム、フランス70グラムなどだ。

## １００％国産

太陽光発電大国はなぜ発電時に大量の$CO_2$を出すのだろうか。以下の理由で説明できる。周知のように再生エネルギーは天候に左右されるため、24時間一定して電源を生み出すことはできない。太陽光が陰って太陽光由来の発電が突然大幅に落ち込んだり、ゼロになったりするとき、間髪を容れず、急いでその分を補わなければ大変なことになる。そのときの補完電源には火力発電が活用される場合が多い。太陽光発電大国が軒並み$CO_2$排出係数において最悪の数字を出し続けるのは当然なのだ。

対してノルウェー以下フランスなどで$CO_2$排出が少ないのは、水力と原子力を活用しているからだ。日本にとって大きなヒントになるのではないか。

脱炭素政策を成功させるには原子力発電の活用が必要であることが見えてくる。世界の潮流が原子力の活用に向かっているのはそういうわけだ。日本もそうすべきだ。エネルギー政策は、まさに国家の基盤の中の基盤である。ここで間違えれば国力は大きく減殺される。

日本では３・11をきっかけに原発への信頼が決定的に損なわれたが、この10年間で安全対策は大幅に強化された。国際エネルギー機関（ＩＥＡ）は最新の報告書で、日本における最も安価で安定した電源は原子力であると明記した。ＩＥＡというエネルギー問題に関して世界最高機関のこの指摘を、日本はもっと大事に受けとめるべきではないのか。

原発の活用は日本の技術力、産業力をも支えてくれる。再エネ関連技術の多くが海外からの輸入であるのに対し、原子力の技術自給率は１００％国産だからだ。その分、国内産業への貢献度は非常に大きい。

国基研は政策提言で、脱炭素政策の実現には何よりも原発の活用を進めなければならないと結論づけた。皆さんはどうお考えだろうか。

（２０２１年4月22日号）

**【追記】**

皆さんに読んでいただきたい本がある。『「脱炭素」は嘘だらけ』（産経新聞出版）である。著者は大学卒業後一貫して温暖化問題を研究してきた杉山大志氏だ。氏は右の書で、非常に分かり易く、菅前首相や小泉進次郎前環境大臣の「２０５０年ＣＯ２ゼロ」政策の誤ちを解説している。

杉山氏は菅政権のこの極端な政策は「科学的にも、技術的にも、経済的にも、人道的にも間違っている」と断言する。そのうえで、１９９７年の京都議定書に署名したときも、２０１５年にパリ協定に合意したときも、わが国は梯子を外されたが、今回も確実に同じ道を歩むことになると警告する。

米国では共和党がバイデン大統領のＣＯ２削減計画を認めず、バイデン氏の政策は行き詰るだろう。そのとき、$CO_2$の大幅削減をすでに法律で定めてしまった日本だけが二進も三進もいかなくなるのである。

小泉氏は父親と共に太陽光発電で日本国民の生活も産業も支えていくと言っていたが、現在、太陽光発電をはじめとする再生エネルギーのコストは2・4兆円の賦課金となって、国民が負担している。これをさらに広げて全電源を再生エネルギーで賄うとすると、インフラ構築なども含めて100兆円規模の負担が生ずる。そうなったときには日本経済は確実に破綻するだろう。

## 日米首脳会談、総理に託された期待

バイデン大統領とは通い合うものがあり、昼食のハンバーガーに手もつけず互いの人生について語り合った。こう振り返った菅義偉首相の表情は安堵と喜びを表していた。

２０２１年４月17日、首脳会談を受けて発表された共同声明には「台湾海峡の平和と安定の重要性」が明記され、日本が「自らの防衛力強化を決意した」こと、米国が「核を含むあらゆる手段での日本防衛」を確認したことも書き込まれた。

首脳会談直前の14日付けで、菅首相名で「ウォール・ストリート・ジャーナル」紙に寄稿した記事には会談への抱負として気候変動問題への取り組みなどが挙げられていたが、中国にも安全保障にも触れておらず、私は首脳会談の行方を懸念していた。しかし、終わってみれば首相は中国の脅威についても対策についても、明確な言葉で意思表示をした。

コロナ禍での今回の首脳会談は、これまでの首脳会談の中で最も重要な意味を持つ。首脳会談、共同声明、その後の戦略国際問題研究所（ＣＳＩＳ）での講演から、首相の決意が見えてくる。「台湾海峡の平和と安定の重要性」は外務・防衛二大臣同士の戦略会議、いわゆる「２＋２」で確認済みだが、共同声明で再び明記したことで台湾の行く末についての日米両国の誓約にさらなる重みが加わった。その上で、菅首相は日本の防衛力を強化すると約束した。

防衛力の強化こそ日本にとって喫緊かつ最重要の課題だ。中国の異常な軍拡によって軍事バランスは圧倒的な中国優位、日本劣位に陥っている。菅首相はそこに切り込んだ。CSISでの講演ではこう語った。

「主権に関する事項、民主主義、人権、法の支配などの普遍的価値について、譲歩する考えはありません」

## 中国の恫喝

中国の軍事力強化によって東シナ海・南シナ海で一方的な現状変更の試みが続いている点についてはCSISで首相はこう語っている。

「このような安全保障環境の中にあっても、国民の命と平和な暮らしを守り抜くべく、我が国自身による努力を重ね、対応力を高めていく」「同盟国である米国との間で抑止力と対処力を一層強化していく」「日米同盟を更なる高みに引き上げていく。これは私の重要な責務だ」

バイデン政権が対面での最初の会談相手に菅首相を選んだのは、安全保障で以前とは異なる次元の軍事協力を日本に期待しているからだ。米国に頼りきりの日本であることをやめてほしい、米国は同盟国として日本防衛に力を尽くすが、日本も米国を扶《たす》けて地域の安全、平和、安定に貢献してほしいという考えだ。

米国の要請に菅首相は果敢に応えた。だが中国は大反発だ。中国共産党の代弁メディア、「環球時報」は17日、社説で次のように日本を貶めた。

「(日米関係は) 外交面では主従の性格が色濃い」、「(日本の外交は) 半主権のレベルでしかない」。

彼らは日米同盟を日独伊三国同盟にたとえて「アジア太平洋の平和に致命的な破壊をもたらす枢軸に変化する可能性がある」とも書いた。

社説の結論が興味深い。

「日本に対し、台湾問題から遠ざかるようにご忠告申し上げる。ほかのことなら外交的手腕をもてあそび、合従連衡の策を弄してもよいが、台湾問題に巻き込まれたなら、最後には自ら災いを招くことになる。巻き込まれる程度が深いほど、払う代価も大きくなるだろう」

中国は台湾問題では妥協しない、日本は覚悟せよと恫喝しているわけだ。だが菅首相も、この種の中国の恫喝には屈しない、妥協しないと宣言済みだ。それが米国での一連の発言の意味である。では米国はどうか。周知のように米国の中国を見る目は非常に厳しい。政治的妥協の余地はそれほどないのである。

アントニー・ブリンケン国務長官をはじめ、バイデン政権の閣僚らの人権意識の厳しさは時間の経過と共により鮮明になっている。3月のアラスカ会談でのブリンケン氏の一連の対立的言辞を外交官らしくないと批判する論調もあった。しかし、驚くほど率直な氏の対中批判は、米政権中枢を占める人々のまっすぐさ加減を示すものとして、私は強い印象を受けた。

恐らく彼らも妥協はしないだろう。とすれば、米中関係は日に日に厳しくなる。価値観の対立はあらゆる分野に波及し、関係改善は当面望めないだろう。かといって誰も軍事衝突や戦争は望んでいない。戦争を望んでいないといっても、軍事的緊張はいよいよ高まる。このような緊張の連鎖の中では当事国は無論、どの国も有事勃発に備えるのが、国際情勢における正しい答えなのである。

## 世界制覇の野望

バイデン大統領は4月14日にアフガニスタンからの撤退を表明した。9月までの完全撤退を目指すが、それは最大の脅威である中国に力を集中させるためだとバイデン氏は説く。バイデン氏はトランプ前大統領と同じく、米国の最大の脅威はテロ勢力ではなく、中国だと公言した。

中国を脅威と見做すか、協力者と見做すか、米国の政策はこの10年程で揺れてきた。9・11以前の米国は中国を戦略的ライバルとしていた。だが、9・11に見舞われたとき、ブッシュ政権は主たる脅威をテロ勢力だとした。それを変えたのがトランプ氏である。トランプ氏は米国の脅威はテロリストなどの勢力ではなく、国家としての中国やロシアだとした。そしていま、バイデン氏はトランプ氏の路線を引き継いで中国こそ米国にとっての最大の脅威と定義したことになる。

米国が「テロとの戦い」に力を注いでいた間に、中国は軍拡を続け恐るべき大国となった。その結果、米国でさえも中国の軍事力に圧倒されつつある。

「フォーリン・アフェアーズ」（21年6～7月号）にミシェル・A・フロノイ氏が「米軍は優位性喪失の危機にある」という論文を書いた。フロノイ氏はバイデン政権の国防長官の有力候補だった。フロノイ論文は、米国は中国軍の強大化、中国共産党の世界制覇の野望を阻止できるのかについて分析しているのだが、かなり内省的である。

彼女の警告は、米国は中国と向き合うのに欠かせない戦略の変更には到達したが、実行段階に至っていないというのだ。軍事的に準備ができていないという厳しい見解を発表しているのである。中国が尖閣或いは台湾奪取で動くとき、日米は必ずこれを防がなければならないが、現状ではそれができないだろうという見解である。そういう状況下で4月の日米首脳会談が行われたのであり、先述の菅首相の言葉が発せられたのだ。菅発言が具体的に意味することを、日本国民、政府、日本全体で本当に真剣に考えなければならない。

日本が主権国家であれば、米軍の戦略・戦術が効果的に展開されてもされなくても、海上保安庁及び自衛隊の力で中国を抑止するのが当然なのである。菅首相の日本の防衛力強化の約束は、そのことを覚悟してのものでなければならない。

であれば、菅首相は海上保安庁法第25条を改正し、敵基地攻撃を可能にし、防衛予算を大幅に積み上げ自衛隊員をふやし、装備全般の顕著な充実整備に取りかかる必要がある。

こうしたことをひとつひとつ実現していくことが、日米首脳会談で約束した防衛力強化である。一旦決めたら実行するのが菅首相の特徴だという。新しくも厳しい国際情勢の中で、日本が果敢に生きのびていく道を切り拓いてほしい。

（2021年4月29日号）

【追記】

米国の命運を大きく左右する力が日本にはある。日本にできることのはかりしれない大きさを、認識するときである。この点についての私の想いは「はじめに」で心をこめて書いた。そこから私の想いの深さを読みとっていただければ、幸いである。

## 櫻井よしこvs.西岡力
## 敗訴でも「慰安婦報道」を永遠に反省しない朝日新聞

5年以上に及ぶ長い法廷闘争が遂に終わりを迎えた。元朝日新聞記者の植村隆氏が、ジャーナリストの櫻井よしこ氏と麗澤大学客員教授の西岡力氏が執筆した雑誌記事で、名誉を毀損されたと訴えた裁判。最高裁は植村氏の請求をいずれも棄却した一審、二審の判決を支持し、櫻井氏については2020年11月、西岡氏については21年3月にそれぞれ原告の上告を却下する判決を言い渡した。ここに植村氏による一連の裁判は、一審以来の原告敗訴判決が確定する結果で完結したのである。

ことの経緯を振り返ると、原告の植村氏は1991年8月11日付の朝日新聞（大阪本社版朝刊）で、いわゆる従軍慰安婦と称された韓国人女性の証言を基にした記事を書いた。その仔細については後述するが、当該記事を櫻井氏は「週刊新潮」連載などで、西岡氏も著書などで「捏造」等と論評。これを不当だとする植村氏は、執筆した両名と版元を相手に論稿の削除、損害賠償と謝罪広告掲載を求め提訴していた。

**櫻井**　西岡さんの判決が確定するまで、二人で総括するのは待とう――そう決めていたので対談が今日（2021年5月6・13日号）になりました。それにしても5年。長いですね。法廷には何回か行かれましたか？

**西岡**　僕は1回だけです。これは裁判という名を借りた〝政治運動〟だと捉えていたので、相手にしない方がいいと思いまして……。

**櫻井**　私は2016年4月の第1回口頭弁論と、18年3月の本人尋問の2回出廷しました。大法廷に漂う独特の雰囲気を味わい、彼らはこういう風に〝運動〟するのだということがよく分かりました。

**西岡**　まず弁護士の数が圧倒的に違いましたよね。原告側の席に、弁護士が横にズラーッと座ってこちらを威圧していましたから。

**櫻井**　私が出廷した裁判でも、30人以上はいたのかしら。原告の席が、二列三列くらいになっていました。

**西岡**　被告席に座る私の側は、出版社を通じて頼んだ弁護士が二人だけでした。

**櫻井**　そもそも札幌で裁判を起こされたわけです。私の自宅や出版社は東京にあるし、植村氏側にも東京在住の弁護士がついている。そこで東京地裁で扱って貰うよう裁判所に申請しました。札幌地裁は一旦、移送を認めたのですが、植村氏側が異議を唱えた。生活拠点は北海道にあり、東京に移送されたら経済的理由で裁判を受ける権利が実現できないという理屈も挙げていました。そして支援者から署名をたくさん集めて反対した。裁判所はそうした動きを受けて、最終的に札幌で裁判することになりました。当時の彼は、講演や集会で東京や韓国など各地を飛び回っていたんですけどね。

**西岡**　おかしなことに私の裁判は先に東京地裁で起こされました。傍聴席は植村氏の支援者でほぼ埋め尽くされていた。

**櫻井**　よくわかります。私もこちら側の応援団は東京から取材にきてくれた産経新聞くらいでした。圧倒的に多勢に無勢ですよね。法廷での植村氏は、傍聴人に向かって訴えかけるような調子でした。裁判の前後に支援者を集めて集会を開いていたそうですから、政治運動の印象を与えていたのは確かです。振り返れば、札幌には苦い思い出があります。１９９７年に川崎で開かれた講演会で「慰安婦は強制連行ではない」という趣旨のことを話したら、物凄い反発を受けた。抗議の多くが北海道からでした。

**西岡**　大量の手紙やファックスがきたそうですね。

**櫻井**　あの頃はメールがなかったので、事務所のファックスの紙がなくなるほどでした。一番多かったのが北教組（北海道教職員組合）からの抗議でしたから、札幌で裁判を行えば、そういった世論に裁判官の方々が影響されるのではという心配がありました。

**西岡**　それでも裁判所は、私たちの主張が正しいということまで踏み込んだ判決を下してくれました。植村氏の取った行動はやぶ蛇でしたし、言論人として闘わなかった報いなのではないかと思います。言論には言論で闘うべきなのに、彼らは論争を避けて〝自分が正しい〟という判断を司法の場に委ねた。卑怯なやり方だったと思いますが、私は「言論の自由」のために絶対に負けてはならないと思っていました。

## 裁判所が認めた

**櫻井**　西岡さんが指摘した通り、植村氏の戦略は全てが裏目に出てしまいましたね。朝日新聞で彼が書いたことは間違いで、裁判所が我々の指摘の真実性を認めた。彼らにとって予想外の結果だったことでしょう。

改めて裁判の争点となった植村氏の記事を見れば、〈元朝鮮人従軍慰安婦　戦後半世紀重い口開く〉との見出しが躍り、以下のように書かれていた。

〈『女子挺《てい》身隊』の名で戦場に連行され、日本軍人相手に売春行為を強いられた『朝鮮人従軍慰安婦』のうち、一人がソウル市内に生存していることがわかり（以下略）〉

櫻井氏と西岡氏は、この記事が慰安婦とはまったく無関係で、単なる勤労奉仕活動を指すに過ぎない「女子挺身隊」の名を挙げ、日本軍が国家ぐるみで女性たちを強制連行したかのような印象を与えたとして批判してきたのだ。

---

**西岡**　今回の判決には重大な意味があります。つまりは朝日新聞が掲載した記事が「捏造」だと裁判所が認めたわけです。これについて、今後朝日新聞はどう責任を取るのか。

**櫻井**　おっしゃるとおりです。もはや植村氏個人ではなく朝日新聞の問題です。高裁判決が出た時、私は外国人記者クラブで会見をしましたが、朝日の記者に「他の新聞も慰安婦と女子挺身隊を間違って報道していたのに、なぜ朝日だけを櫻井さんは責めるのか」と質問されました。私は朝日が日本で最も影響力が大きい新聞社だと自負しているのであれば、その責任についても最も厳しく問われるのは当然だと答えたのですが、西岡さんたちが手がけた独立検証委員会の報告書を読むと、なぜ朝日が責められなければならないのか、もうひとつの明白な理由が見えてきます。朝日は当初、圧倒的に多くの慰安婦記事を書いて、ひとつの流れを作った。他社がその流れに追随するまで、朝日は多くの記事を書き続けたという事実があります。つまり、慰安婦の一連の報道は朝日が主導して作り上げたものだった。そのことについての責任は大きいですね。

**西岡**　植村氏の記事が書かれた91年に限っても、朝日は１５０本もの慰安婦関連記事を出稿した。読売23本、毎日66本、ＮＨＫ13本で３社の合計でも１０２本に過ぎません。朝日だけで全体の約6割、単純計算で２・４日に１本も書いていたことになり、大キャンペーンを仕掛けたのは明白です。

**櫻井**　しかも朝日は他紙が書き始めると少し数を減らしている。世論に火をつけるため猛烈に書いたのではないか。そういう意味で本当に朝日は罪が重いということを、今回きちんと言っておきたいですね。

**西岡**　改めて整理すると、朝日新聞は植村氏の記事が出る前の82年に、「自分は軍の命令で女子挺身隊として朝鮮女性を強制連行して慰安婦にした」という吉田清治なる男性の証言記事を掲載した。翌83年に吉田はその証言を単行本にしています。いわば「女子挺身隊」を語る〝加害者〟を世に出したのが朝日です。朝日のお墨付きをもらった吉田証言の影響が絶大で、80年代半ばから「女子挺身隊」の名で慰安婦狩りをしたというウソが、左派が支配する日本の学界の定説になった。韓国に留学した経験のある私からすれば、そんなことが起きていたら韓国人が蜂起していただろうけど、そうした話は現地で聞いたことがない。事実なら日韓関係の根底が崩れるし、本当に「人道に対する罪」みたいなことがあったんだろうかと疑っていた。植村記事が出た91年に朝日は吉田を2回大きく取り上げ、植村氏の記事で〝被害者〟の証言を出すことで、慰安婦は女子挺身隊の名で強制連行されたという朝日のプロパガンダが完成してしまった。植村記事は吉田証言のウソをサポートした悪質な捏造記事だった。

**櫻井**　今回の裁判で、もともと植村氏は「女子挺身隊」が「慰安婦」とは別の存在であるということを知っていたと、法廷で語っています。これは植村氏に対する尋問の最後に、裁判官が踏み込んで質問したことに対する回答でした。つまり「女子挺身隊」として連行された「慰安婦」という話が、本来成り立たないことだったと、彼自身知っていたことになります。それなのに、なぜそういうことを書いたのか、理解に苦しみます。西岡さんが先ほど仰ったことは非常に重要なことですね。それまで吉田清治の詐欺話で日本軍が女性たちを強制連行したと言われていたけれども、研究者や朝鮮問題の専門家の多くが「そんなことはあるはずがない」と疑っていた。韓国の人たちもみんな知っていた。日本軍による慰安婦の強制連行などなかったこと、「女子挺身隊」が連行されたこともなかったと知っていた。しかし、植村氏の記事で被害者の〝実例〟が出てきた。今まで虚構だろうと思っていたのが、初めて証拠が出てきた。これは大変なことだと大騒ぎになった。その頃から朝日以外の新聞も書き始めた。朝日新聞がつくった壮大なフィクションが、植村氏の記事によって「本当かもしれない」という現実味を帯びてきた。こういう構図が現実世界の中で創られてしまった。その結果、植村氏の記事は本当に深刻な結果をもたらした。私は西岡さんの先程の説明と重なることを言っているのですが、この構図をしっかりと頭に入れておくことが、慰安婦問題についての朝日の責任を知る上でとても重要です。

**西岡**　本当の加害者と被害者が証言して、国内外から批判を浴びるのなら仕方ありません。被害者がそう言ったなら特ダネに値しますが、実際は言ってないことを朝日が書いた。しかも、それが記憶違いじゃなくて、言ってないどころか彼女が女子挺身隊ではなかったと知っていたと。あえてウソを書いたという事実は重い。

14年の慰安婦記事の検証報道でも、朝日新聞が謝ったのは「うそつきの吉田に騙された」ことだけ。植村氏の記事については、「意図的な捻じ曲げなどはありません」と書いて未だに恥じない。

**櫻井**　私は今回の一件は「天網恢恢疎《てんもうかいかいそ》にして漏らさず」だと感じています。植村氏が提訴してくれたおかげで、彼が「女子挺身隊」と「慰安婦」は関係がないと知っていたにも拘わらず、両者を一体のものとして記事を書いたという事実が判明しました。

　そこからさらに発展して、西岡さんが指摘なさったように、この問題は朝日新聞そのものの問題であることが明らかになりました。天の目は朝日の悪行をきちんと見ていたということです。この判決を受けて、もう一回、朝日新聞も植村氏も自分たちの行った捏造をきちんと反省しないといけないと思う。朝日新聞は「誤報」という指摘については受け入れますが、「捏造」という指摘に対して強く反発して否定します。けれど、西岡さんの説明にもあったように、どう見ても捏造をしたとしか思えない。

## 日本人に対する裏切り

**西岡**　見過ごしてはならないのは、私の最高裁判決を報じた朝日新聞の姿勢です。3月13日付の朝刊に目を通すと、どこに書いてあるのかわからないくらい小さな扱いで、そのベタ記事にはウソが書かれている。判決に至った経緯を〈東京地裁は、日本軍や政府による女子挺身隊の動員と人身売買を混同した当記事を意図的な「捏造」と評した西岡氏らの指摘について、重要な部分は真実だと認定〉したと書き、これは正しいのですが、問題はその次ですよ。〈東京高裁は指摘にも不正確な部分があると認めつつ〉と、私の指摘に不備があったとわざわざ書いた上で、〈真実相当性があるとして結論は支持していた〉。地裁では「真実性」が認められていたけど、高裁からは「真実相当性」に格下げしたとしか読めないのです。

**櫻井**　「真実性」が認められたことを省いて報じた。とんでもない記事ですね。

**西岡**　はい。実際の裁判では、一番重要な「女子挺身隊として連行されていないのに、そのことを植村氏は知っていながらあえてウソを書いた」という点について「真実相当性」ではなく「真実性」が認められています。その評価は地裁と高裁で変わっていないのに、朝日が掲載した記事が「捏造」だったと最高裁が認めたということになれば、最終的には自分たちに責任がかかってくる。読者がそう思うかもしれないからと、あえて自分たちの責任を回避するためにウソをついたとしか思えません。少なくともこの判決を受けて、朝日新聞は改めて見解を出すべきだと強く思います。

**櫻井**　朝日新聞は慰安婦報道によって、国内外にどれほどの影響を与えてきたかという自覚と反省があまりにもない。彼らがしたことは日本国に対する、日本人に対する裏切りであり、ジャーナリズムへの信頼性を大きく損ねました。

**西岡**　今回、自分たちの罪を再び反省する契機となる判決が出たわけじゃないですか。その判決を報じる記事でも「捏造」をしているのだから呆れてしまいます。

**櫻井**　常に自分にも言い聞かせていることですが、ジャーナリズムというものは完璧ではないと私は思っています。人間が完璧ではないように、ジャーナリズムも人間のなせる業ですから残念ながら間違いもあるでしょう。大事なのは過ちが生じた時の姿勢です。自ら検証して反省することで、メディアは一歩先に進み、深めることもできる。けれど朝日は自身の間違いを認めようとしない。そういう態度では、未来永劫同じことを繰り返すと思います。

※本書は「週刊新潮」連載の「日本ルネッサンス」に加筆し、まとめたものです。

## 櫻井よしこ　Yoshiko Sakurai

ベトナム生まれ。ハワイ州立大学歴史学部卒業。「クリスチャン・サイエンス・モニター」紙東京支局員、日本テレビ・ニュースキャスター等を経て、フリー・ジャーナリストとして活躍。『エイズ犯罪　血友病患者の悲劇』（中公文庫）で大宅壮一ノンフィクション賞、『日本の危機』（新潮文庫）を軸とする言論活動で菊池寛賞を受賞。2007年に国家基本問題研究所（国基研）を設立し理事長に就任。2010年、日本再生に向けた精力的な言論活動が高く評価され、正論大賞を受賞した。著書に『何があっても大丈夫』『日本の覚悟』『日本の試練』『日本の決断』『日本の敵』『日本の未来』『一刀両断』『問答無用』『言語道断』（新潮社）『論戦』シリーズ（ダイヤモンド社）『親中派の嘘』『赤い日本』（産経新聞出版）などがある。
著者の公式サイトは https://yoshiko-sakurai.jp
国基研の公式サイトは https://jinf.jp

亡国《ぼうこく》の危機《きき》

著　者　櫻井《さくらい》よしこ

発　行　2021年10月15日

発行者　佐藤隆信
発行所　株式会社新潮社　郵便番号162-8711
東京都新宿区矢来町71
電話：編集部　03-3266-5611
読者係　03-3266-5111
https://www.shinchosha.co.jp
装幀　新潮社装幀室
印刷所　大日本印刷株式会社
製本所　大口製本印刷株式会社

ISBN978-4-10-425317-3　C0095
価格はカバーに表示してあります。